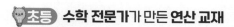

초등 수학 전문가가 만든 연산 교재

원리샘

6

3학년

• 분수 •

지은이의 말

수학은 원리로부터

수학은 구체물의 관계를 숫자와 기호의 약속으로 나타내는 추상적인 학문입니다. 이 점이 아이들이 수학을 어려워하는 가장 큰 이유입니다. 이러한 수학은 제대로 된 이해를 동반할 때 비로소 힘을 발휘할 수 있습니다. 수학은 어느 단계에서나 원리가 가장 중요합니다.

수학 교육의 변화

답을 내는 방법만 알아도 되는 수학 교육의 시대는 지나고 있습니다. 연산도 한 가지 방법만 반복 연습하기 보다 다양한 풀이 방법이 중요합니다. 교과서는 왜 그렇게 해야 하는지 가르쳐 주고 다양한 방법을 생각하도록 하지만, 학생들은 단순하게 반복되는 연습에 원리는 잊어버리고 기계적으로 답을 내다보니 응용된 내용의 이해가 부족합니다.

연산 학습은 꾸준히

유초등 학습 단계에 따라 4권~6권의 구성으로 매일 10분씩 꾸준히 공부할 수 있습니다. 원리와 다양한 방법의 학습은 그림과 함께 재미있게, 연습은 다양하게 진행하되 마무리는 집중하여 진행하도록 했습니다. 부담 없는 하루 학습량으로 꾸준히 공부하다 보면 어느새 연산 실력이 부쩍 늘어난 것을 알 수 있습니다.

개정판 원리셈은

동영상 강의 확대/초등 고학년 원리 학습 과정 강화 등으로 교과 과정을 완벽하게 대비할 수 있도록 원리와 개념, 계산 방법을 학습합니다. 단계별 원리 학습은 물론이고 연습도 강화했습니다.

학부모님들의 연산 학습에 대한 고민이 원리셈으로 해결되었으면 하는 바람입니다.

지은이 천종현

원리셈의 특징

☑ 원리셈의 학습 구성

한 권의 책은 매일 10분 / 매주 5일 / 6주 학습

☑ 원리셈의 시나브로 강해지는 학습 알고리즘

초등 원리셈은

시작은 원리의 이해로부터, 마무리는 충분한 연습과 성취도 확인까지

☑ 체계적인 학습 구성

쉽게 이해하고 스스로 공부!
실수가 많은 부분은 별도로 확인하고 연습!
주제에 따라 실전을 위한 확장적 사고가 필요한 내용까지!
원리로 시작되는 단계별 학습으로 곱셈구구마저 저절로 외워진다고 느끼도록!

원리셈 전체 단계

 ## 키즈 원리셈

 ## 초등 원리셈

초등 원리셈의 단계별 학습 목표

원리와 연습을 모두 잡는 원리셈!!

학년별 학습 목표와 다른 책에서는 만나기 힘든 특별한 내용을 확인해 보세요.

◉ 1학년 원리셈

모든 연산 과정 중 실수가 가장 많은 덧셈, 뺄셈의 집중 연습

여러 가지 계산 방법 알기

덧셈, 뺄셈의 관계를 이용한 '□ 구하기'의 이해

◉ 2학년 원리셈

두 자리 덧셈, 뺄셈의 여러 가지 계산 방법의 숙지와 이해

곱셈 개념을 폭넓게 이해하고, 곱셈구구를 힘들지 않게 외울 수 있는 구성

나눗셈은 3학년 교과의 내용이지만 곱셈구구를 외우는 것을 도우면서 곱셈구구의 범위에서 개념 위주 학습

◉ 3학년 원리셈

기본 연산은 정확한 이해와 충분한 연습

곱셈, 나눗셈의 관계를 이용한 '□ 구하기'의 이해

분수는 학생들이 어려워 하는 부분을 중점적으로 이해하고, 연습하도록 구성

◉ 4학년 원리셈

작은 수의 곱셈, 나눗셈 방법을 확장하여 이해하는 큰 수의 곱셈, 나눗셈

교과서에는 나오지 않는 실전적 연산을 포함

많이 틀리는 내용은 별도 집중학습

◉ 5학년 원리셈

연산은 개념과 유형에 따라 단계적으로 학습 후 충분한 연습

약수와 배수는 기본기를 단단하게 할 수 있는 체계적인 구성

◉ 6학년 원리셈

분수와 소수의 나눗셈은 원리를 단순화하여 이해

비의 개념을 확장하여 문장제 문제 등에서 만나는 비례 관계의 이해와 적용

비와 비례식은 중등 수학을 대비하는 의미도 포함. 강추 교재!!

3학년 구성과 특징

1권은 큰 수의 덧셈과 뺄셈을 2권~4권은 자리를 구분하여 곱셈과 나눗셈을 공부합니다. 5권은 곱셈과 나눗셈의 관계를 통해 검산과 모르는 수를 구하는 방법을 배웁니다. 6권의 분수는 학생들이 가장 어려움을 느끼는 부분을 집중 연습하도록 했습니다.

원리

수 모형, 동전 등을 이용하여 원리를 직관적으로 이해하고 쉽게 공부할 수 있도록 하였습니다.

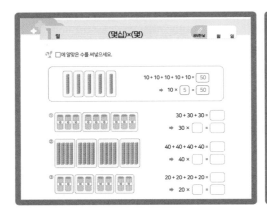 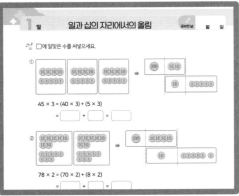

다양한 계산 방법

다양한 계산 방법을 공부함으로써 수를 다루는 감각을 키우고, 상황에 따라 더 정확하고 빠른 계산을 할 수 있도록 하였습니다.

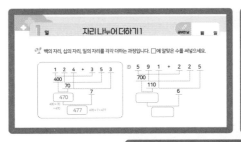 

연습

기본 연습 문제를 중심으로 여러 형태의 문제로 지루하지 않게 반복하여 연습할 수 있도록 구성하였습니다.

 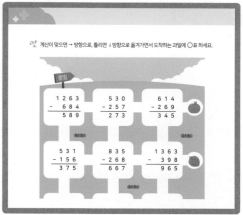

도전! 계산왕

주제가 구분되는 두 개의 단원은 정확성과 빠른 계산을 위한 집중 연습으로 주제를 마무리 합니다.

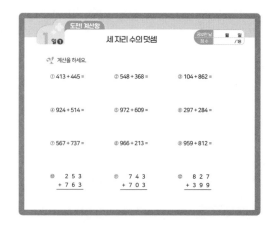

성취도 평가

개념의 이해와 연산의 수행에 부족한 부분은 없는지 성취도 평가를 통해 확인합니다.

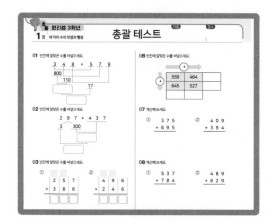

원리샘
100% 활용하기

✔ 책의 사이사이에 학생의 학습을 돕기 위한 저자의 내용을 잘 이용하세요.

📖 단원의 학습 내용과 방향

한 주차가 시작되는 쪽의 아래에 그 단원의 학습 내용과 어떤 방향으로 공부하는지를 설명해 놓았습니다.
학부모님이나 학생이 단원을 시작하기 전에 가볍게 읽어 보고 공부하도록 해 주세요.

📚 이해를 돕는 저자의 동영상 강의

처음 접하는 원리/개념과 연산 방법의 이해를 돕기 위한 동영상 강의가 있으니 이해가 어려운 내용은 QR코드를
이용하여 편리하게 동영상 강의를 보고, 공부하도록 하세요.

🖋 학습 Tip   간략한 도움글은 각 쪽의 아래에 있습니다.

✍ 천종현수학연구소 네이버 카페와 홈페이지를 활용하세요.

카페와 홈페이지에는 추가 문제 자료가 있고, 연산 외에서 수학 학습에 어려움을 상담 받을 수 있습니다.

네이버에서 천종현수학연구소를 검색하세요.

1주차
분수 알기

전체와 부분을 나타내는 분수의 의미를 정확히 이해하고 분수의 크기를 비교할 수 있습니다. 먼저 그림으로 전체를 구하는 방법의 원리를 이해한 후 그림 없이 나눗셈과 곱셈으로 전체를 구하는 방법을 확실히 알고 넘어가도록 합니다.

전체와 부분

🔑 □에 알맞은 수를 써넣으세요.

색칠된 부분은 전체를 똑같이 ⬜5 로 나눈 것 중 ⬜2 입니다.

분수로 나타내면 $\dfrac{2 \leftarrow 분자(부분)}{5 \leftarrow 분모(전체)}$ 라 쓰고

5분의 2로 읽습니다.

---

① 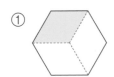 색칠된 부분은 전체를 똑같이 ⬜으로 나눈 것 중 ⬜이므로 $\dfrac{}{}$ 입니다.

② 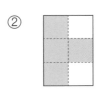 색칠된 부분은 전체를 똑같이 ⬜으로 나눈 것 중 ⬜이므로 $\dfrac{}{}$ 입니다.

③ 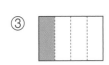 색칠된 부분은 전체를 똑같이 ⬜로 나눈 것 중 ⬜이므로 $\dfrac{}{}$ 입니다.

④  색칠된 부분은 전체를 똑같이 ⬜로 나눈 것 중 ⬜이므로 $\dfrac{}{}$ 입니다.

Tip 전체를 똑같이 나눈 수를 가로선 아래에, 부분의 수를 가로선 위에 쓰도록 합니다.

색칠된 부분을 분수로 나타내세요.

①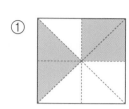

②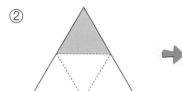

③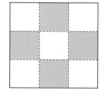

④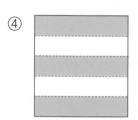

⑤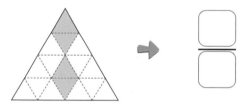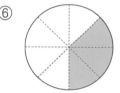

⑥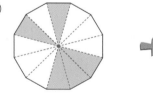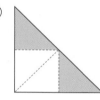

⑦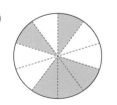

⑧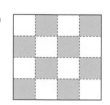

⑨

⑩

먹은 부분을 ⬜ , 남은 부분을 ⬜ 에 분수로 나타내세요.

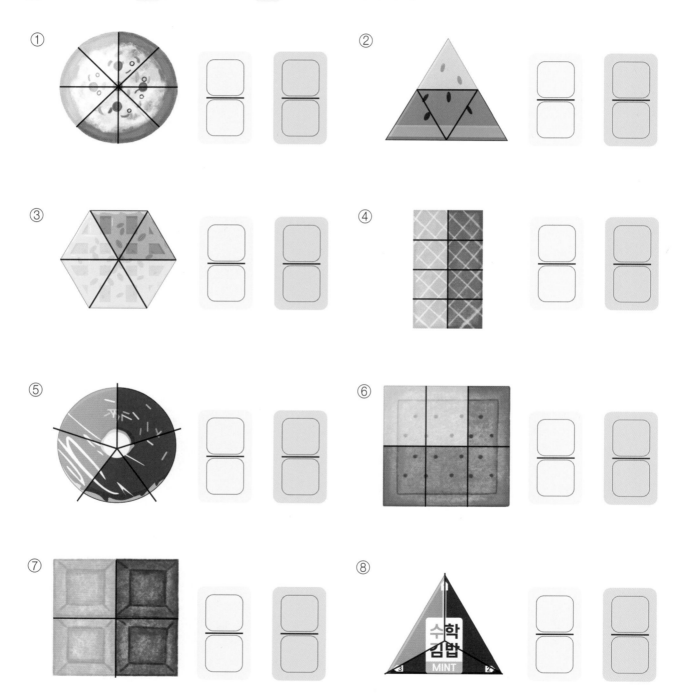

분모가 같은 분수의 크기를 비교하여 작은 것부터 차례로 쓰세요.

• 분모가 같은 분수끼리는 전체를 똑같이 나눈 수가 같으므로 분자가 큰 분수가 더 큰 분수입니다.

$\dfrac{3}{5}$ $\dfrac{2}{5}$ $\dfrac{4}{5}$ $\dfrac{3}{5}$ $\dfrac{2}{5}$ $\dfrac{4}{5}$

$\dfrac{2}{5}$ < $\dfrac{3}{5}$ < $\dfrac{4}{5}$

---

① $\dfrac{1}{4}$ $\dfrac{2}{4}$ $\dfrac{3}{4}$

 < <

② $\dfrac{1}{7}$ $\dfrac{5}{7}$ $\dfrac{3}{7}$

$\square$ < $\square$ <

③ $\dfrac{8}{9}$ $\dfrac{2}{9}$ $\dfrac{5}{9}$

 < <

④ $\dfrac{8}{10}$ $\dfrac{7}{10}$ $\dfrac{3}{10}$

$\square$ < <

분자가 같은 분수의 크기를 비교하여 작은 것부터 차례로 쓰세요.

- 분모는 전체를 똑같이 나눈 수입니다. 분모가 크면 똑같이 나눈 것 중 하나는 더 작아지므로 분자가 같을 때는 분모가 클수록 더 작습니다.

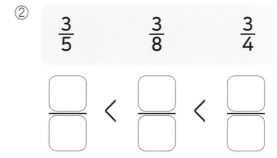

	1	
$\frac{1}{2}$		$\frac{1}{2}$
$\frac{1}{3}$	$\frac{1}{3}$	$\frac{1}{3}$
$\frac{1}{4}$ $\frac{1}{4}$	$\frac{1}{4}$	$\frac{1}{4}$
$\frac{1}{5}$ $\frac{1}{5}$	$\frac{1}{5}$	$\frac{1}{5}$ $\frac{1}{5}$

$\frac{1}{2}$ $\frac{1}{6}$ $\frac{1}{4}$

$\frac{1}{6} < \frac{1}{4} < \frac{1}{2}$

① $\frac{1}{11}$　$\frac{1}{9}$　$\frac{1}{6}$

$\boxed{} < \boxed{} < \boxed{}$

② $\frac{3}{5}$　$\frac{3}{8}$　$\frac{3}{4}$

$\boxed{} < \boxed{} < \boxed{}$

③ $\frac{2}{6}$　$\frac{2}{3}$　$\frac{2}{7}$

$\boxed{} < \boxed{} < \boxed{}$

④ $\frac{4}{7}$　$\frac{4}{10}$　$\frac{4}{9}$

$\boxed{} < \boxed{} < \boxed{}$

Tip 분자가 1인 분수를 '단위분수'라고 합니다. 또한 분수의 크기를 비교할 때 전체는 똑같은 크기와 모양으로 생각합니다.

분수의 크기를 비교하여 작은 것부터 차례로 쓰세요.

$$\frac{5}{6} > \frac{3}{6}$$

$$\frac{5}{6} \qquad \frac{3}{7} \qquad \frac{3}{6}$$

$$\frac{3}{7} < \frac{3}{6}$$

$$\boxed{\frac{3}{7}} < \boxed{\frac{3}{6}} < \boxed{\frac{5}{6}}$$

① $$\frac{1}{5} \qquad \frac{3}{5} \qquad \frac{3}{4}$$

$$\boxed{} < \boxed{} < \boxed{}$$

② $$\frac{3}{5} \qquad \frac{4}{5} \qquad \frac{3}{6}$$

$$\boxed{} < \boxed{} < \boxed{}$$

③ $$\frac{2}{3} \qquad \frac{2}{5} \qquad \frac{1}{5}$$

$$\boxed{} < \boxed{} < \boxed{}$$

④ $$\frac{2}{4} \qquad \frac{1}{7} \qquad \frac{2}{7}$$

$$\boxed{} < \boxed{} < \boxed{}$$

⑤ $$\frac{4}{8} \qquad \frac{4}{5} \qquad \frac{3}{8}$$

$$\boxed{} < \boxed{} < \boxed{}$$

⑥ $$\frac{3}{4} \qquad \frac{3}{9} \qquad \frac{2}{9}$$

$$\boxed{} < \boxed{} < \boxed{}$$

전체를 그림으로 나타내기

🔎 분모만큼 □를 그리고 분자만큼 색칠한 후 전체를 구하세요.

$\frac{3}{4}$ 이 6이면 전체는 **8** 입니다.

6
| 2 | 2 | 2 | 2 |
8

① 전체 4칸을 그리고 3칸을 색칠합니다. ($\frac{3}{4}$)

② 3칸이 6이므로 1칸은 2입니다. (6 ÷ 3 = 2)

③ 1칸이 2이므로 전체 4칸은 8입니다. (2 × 4 = 8)

---

① $\frac{4}{7}$ 가 12이면 전체는 ☐ 입니다.

② $\frac{2}{5}$ 가 10이면 전체는 ☐ 입니다.

③ $\frac{5}{6}$ 가 20이면 전체는 ☐ 입니다.

④ $\frac{6}{7}$ 이 24이면 전체는 ☐ 입니다.

⑤ $\frac{3}{5}$ 이 18이면 전체는 ☐ 입니다.

⑥ $\frac{2}{3}$ 가 16이면 전체는 ☐ 입니다.

⑦ $\frac{5}{7}$ 가 55이면 전체는 ☐ 입니다.

⑧ $\frac{3}{8}$ 이 42이면 전체는 ☐ 입니다.

😀 분모만큼 ◯를 그리고 분자만큼 색칠한 후 전체를 구하세요.

$\frac{3}{9}$ 이 15이면 전체는 $\boxed{45}$ 입니다.

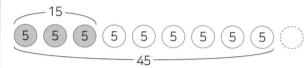

① 전체 9개를 그리고 3칸을 색칠합니다. ($\frac{3}{9}$)

② 3칸이 15이므로 1칸은 5입니다. (15 ÷ 3 = 5)

③ 1칸이 5이므로 전체 9칸은 45입니다. (5 × 9 = 45)

① $\frac{3}{4}$ 이 9이면 전체는 $\boxed{}$ 입니다.

◯◯◯◯◯◯◯◯◯◯◯◯

② $\frac{4}{5}$ 가 16이면 전체는 $\boxed{}$ 입니다.

◯◯◯◯◯◯◯◯◯◯◯◯

③ $\frac{9}{10}$ 가 45이면 전체는 $\boxed{}$ 입니다.

◯◯◯◯◯◯◯◯◯◯◯◯

④ $\frac{6}{8}$ 이 54이면 전체는 $\boxed{}$ 입니다.

◯◯◯◯◯◯◯◯◯◯◯◯

⑤ $\frac{4}{7}$ 가 32이면 전체는 $\boxed{}$ 입니다.

◯◯◯◯◯◯◯◯◯◯◯◯

⑥ $\frac{3}{6}$ 이 21이면 전체는 $\boxed{}$ 입니다.

◯◯◯◯◯◯◯◯◯◯◯◯

수직선을 이용하여 전체를 구하세요.

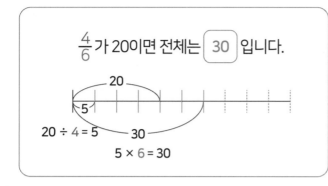

$\frac{4}{6}$ 가 20이면 전체는 30 입니다.

20 ÷ 4 = 5
5 × 6 = 30

① $\frac{2}{6}$ 가 12이면 전체는 ☐ 입니다.

② $\frac{3}{8}$ 이 6이면 전체는 ☐ 입니다.

③ $\frac{1}{5}$ 이 15이면 전체는 ☐ 입니다.

④ $\frac{2}{7}$ 가 8이면 전체는 ☐ 입니다.

⑤ $\frac{1}{4}$ 이 10이면 전체는 ☐ 입니다.

⑥ $\frac{3}{6}$ 이 24이면 전체는 ☐ 입니다.

⑦ $\frac{5}{9}$ 가 25이면 전체는 ☐ 입니다.

⑧ $\frac{7}{8}$ 이 56이면 전체는 ☐ 입니다.

⑨ $\frac{4}{5}$ 가 36이면 전체는 ☐ 입니다.

동영상 해설

🎈 전체의 길이를 구하세요.

막대 $\frac{1}{9}$의 길이가 11 cm이면

전체의 길이는 [99] cm입니다.

전체를 9로 나눈 것 중 1이 11 cm이므로
전체 9는 99 cm입니다. (11 × 9 = 99)

① 신발끈 $\frac{1}{10}$의 길이가 5 cm이면

전체의 길이는 [　] cm입니다.

② 자 $\frac{1}{5}$의 길이가 6 cm이면

전체의 길이는 [　] cm입니다.

③ 색 테이프 $\frac{1}{6}$의 길이가 7 cm이면

전체의 길이는 [　] cm입니다.

④ 리본 $\frac{1}{7}$의 길이가 10 cm이면

전체의 길이는 [　] cm입니다.

⑤ 털실 $\frac{1}{3}$의 길이가 21 cm이면

전체의 길이는 [　] cm입니다.

⑥ 철사 $\frac{1}{8}$의 길이가 44 cm이면

전체의 길이는 [　] cm입니다.

⑦ 휴지 $\frac{1}{9}$의 길이가 45 cm이면

전체의 길이는 [　] cm입니다.

🐌 전체의 길이를 구하세요.

색 테이프 $\frac{2}{3}$ 의 길이가 8 cm이면

전체의 길이는 12 cm입니다.

전체를 3으로 나눈 것 중 2가 8 cm이므로 1은 4 cm입니다.
(8 ÷ 2 = 4) 1이 4 cm이므로 전체 3은 12 cm입니다. (4 × 3 = 12)

① 리본 $\frac{7}{12}$ 의 길이가 14 cm이면

전체의 길이는 [ ] cm입니다.

② 막대 $\frac{3}{8}$ 의 길이가 15 cm이면

전체의 길이는 [ ] cm입니다.

③ 털실 $\frac{4}{5}$ 의 길이가 8 cm이면

전체의 길이는 [ ] cm입니다.

④ 연필 $\frac{2}{4}$ 의 길이가 6 cm이면

전체의 길이는 [ ] cm입니다.

⑤ 자 $\frac{2}{3}$ 의 길이가 6 cm이면

전체의 길이는 [ ] cm입니다.

⑥ 철사 $\frac{7}{9}$ 의 길이가 21 cm이면

전체의 길이는 [ ] cm입니다.

⑦ 신발끈 $\frac{5}{10}$ 의 길이가 35 cm이면

전체의 길이는 [ ] cm입니다.

전체의 길이를 구하세요.

① 바늘 $\frac{2}{4}$의 길이가 6 cm이면

전체의 길이는 [ ] cm입니다.

② 색 테이프 $\frac{4}{9}$의 길이가 28 cm이면

전체의 길이는 [ ] cm입니다.

③ 연필 $\frac{4}{5}$의 길이가 12 cm이면

전체의 길이는 [ ] cm입니다.

④ 털실 $\frac{2}{6}$의 길이가 20 cm이면

전체의 길이는 [ ] cm입니다.

⑤ 리본 $\frac{3}{6}$의 길이가 21 cm이면

전체의 길이는 [ ] cm입니다.

⑥ 철사 $\frac{5}{7}$의 길이가 80 cm이면

전체의 길이는 [ ] cm입니다.

⑦ 자 $\frac{4}{8}$의 길이가 32 cm이면

전체의 길이는 [ ] cm입니다.

⑧ 신발끈 $\frac{2}{5}$의 길이가 30 cm이면

전체의 길이는 [ ] cm입니다.

⑨ 막대 $\frac{5}{9}$의 길이가 50 cm이면

전체의 길이는 [ ] cm입니다.

⑩ 수수깡 $\frac{8}{9}$의 길이가 24 cm이면

전체의 길이는 [ ] cm입니다.

🌱 전체를 구하세요.

① $\dfrac{1}{3}$ 이 40이면 전체는 ☐ 입니다.

② $\dfrac{8}{10}$ 이 40이면 전체는 ☐ 입니다.

③ $\dfrac{5}{8}$ 가 20이면 전체는 ☐ 입니다.

④ $\dfrac{2}{4}$ 가 14이면 전체는 ☐ 입니다.

⑤ $\dfrac{3}{11}$ 이 27이면 전체는 ☐ 입니다.

⑥ $\dfrac{7}{9}$ 이 42이면 전체는 ☐ 입니다.

⑦ $\dfrac{2}{5}$ 가 16이면 전체는 ☐ 입니다.

⑧ $\dfrac{1}{4}$ 이 8이면 전체는 ☐ 입니다.

⑨ $\dfrac{2}{3}$ 가 10이면 전체는 ☐ 입니다.

⑩ $\dfrac{7}{10}$ 이 21이면 전체는 ☐ 입니다.

⑪ $\dfrac{3}{8}$ 이 45이면 전체는 ☐ 입니다.

⑫ $\dfrac{5}{9}$ 가 45이면 전체는 ☐ 입니다.

☝️ □에 알맞은 수를 써넣으세요.

승희네 반 학생의 $\frac{3}{5}$ 이 18명일 때
$18 \div 3 = 6$
전체 승희네 반 학생은 30 명입니다.
$6 \times 5 = 30$

① 수확한 감자의 $\frac{1}{6}$ 이 4 kg일 때

전체 수확한 감자는 □ kg입니다.

② 피자의 $\frac{3}{4}$ 이 6조각일 때

전체 피자 조각은 □ 조각입니다.

③ 달린 거리의 $\frac{2}{5}$ 가 10 km일 때

전체 달린 거리는 □ km입니다.

④ 사과 한 상자의 $\frac{4}{10}$ 가 20개일 때

전체 사과는 □ 개입니다.

⑤ 유람선 승객의 $\frac{2}{7}$ 가 24명일 때

전체 승객은 □ 명입니다.

⑥ 지수가 읽은 책의 $\frac{4}{8}$ 가 16권일 때

전체 읽은 책은 □ 권입니다.

⑦ 공원에 있는 나무의 $\frac{8}{9}$ 이 64그루일 때

전체 나무는 □ 그루입니다.

🐰 전체의 길이를 구하세요.

① 색 테이프의 $\frac{5}{8}$를 사용했습니다. 남은 색 테이프의 길이가 15 cm일 때 전체의 길이는

[ㅤㅤ]cm입니다.

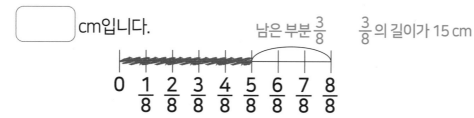

남은 부분 $\frac{3}{8}$　　　$\frac{3}{8}$의 길이가 15 cm

② 리본의 $\frac{2}{5}$를 사용했습니다. 남은 리본의 길이가 21 cm일 때 전체의 길이는 [ㅤㅤ]cm입니다.

③ 철사의 $\frac{3}{8}$을 사용했습니다. 남은 철사의 길이가 60 cm일 때 전체의 길이는 [ㅤㅤ]cm입니다.

④ 털실의 $\frac{5}{7}$를 사용했습니다. 남은 털실의 길이가 22 cm일 때 전체의 길이는 [ㅤㅤ]cm입니다.

Tip
분자의 수가 분모의 수와 같을 때 전체가 됩니다.

• 2주차 •
분수로 나타내기

낱개를 세어 전체와 부분을 분수로 나타낼 수도 있지만 똑같이 묶어서 전체와 부분을 분수로 나타낼 수도 있습니다. 먼저 그림으로 원리를 이해하고, 그림 없이 나눗셈으로 분수로 나타내는 방법을 완벽하게 익히고 넘어가도록 합니다.

먹은 것에 X표 하였습니다. 먹은 것은 전체의 몇 분의 몇인지 분수로 나타내세요.

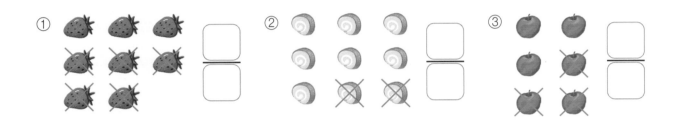

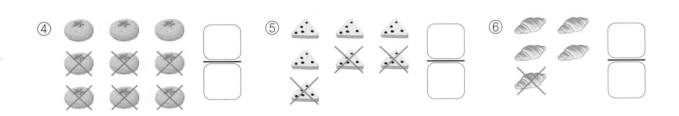

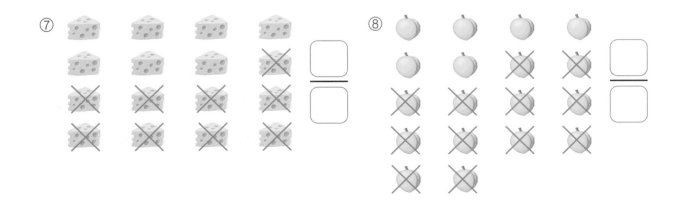

묶음을 보고 색칠된 부분을 분수로 나타내려고 합니다. ☐에 알맞은 수를 써넣으세요.

①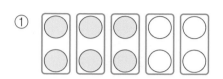

색칠된 부분

6은 ⎡ 5 ⎤ 묶음 중 ⎡ 3 ⎤ 묶음이므로 전체의 부분 묶음 수 → ☐ / 전체 묶음 수 → ☐ 입니다.

②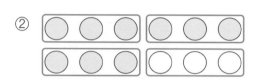

9는 ☐ 묶음 중 ☐ 묶음이므로 전체의 ☐/☐ 입니다.

③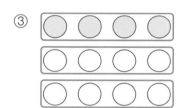

4는 ☐ 묶음 중 ☐ 묶음이므로 전체의 ☐/☐ 입니다.

④

12는 ☐ 묶음 중 ☐ 묶음이므로 전체의 ☐/☐ 입니다.

⑤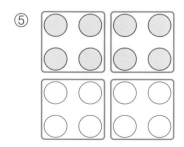

8은 ☐ 묶음 중 ☐ 묶음이므로 전체의 ☐/☐ 입니다.

□를 그려 똑같이 묶고 , 먹고 남아 있는 사탕은 전체 묶음의 몇 분의 몇인지 구하세요.

묶어서 분수로 나타내기

공부한날   월   일

색칠된 부분을 낱개일 때와 묶었을 때 알맞은 분수로 나타내려고 합니다. □에 알맞은 수를 써넣으세요.

동영상 해설

① 색칠된 부분 개수 ┬ 4는 8의 □/□ 입니다. ┴ 전체 개수

8을 2씩 묶으면 부분 묶음수 → 4는 8의 □/□ 입니다. 전체 묶음수 →

② 6은 9의 □/□ 입니다.

9를 3씩 묶으면 6은 9의 □/□ 입니다.

③ 9는 12의 □/□ 입니다.

12를 3씩 묶으면 9는 12의 □/□ 입니다.

④ 8은 10의 □/□ 입니다.

8을 2씩 묶으면 8은 10의 □/□ 입니다.

⑤ 8은 12의 □/□ 입니다.

12를 2씩 묶으면 8은 12의 □/□ 입니다.

알맞게 묶고 ☐에 알맞은 수를 써넣으세요.

① 20을 5씩 묶으면 10은 20의 ☐/☐ 입니다.

15는 20의 ☐/☐ 입니다.

② 12를 3씩 묶으면 6은 12의 ☐/☐ 입니다.

9는 12의 ☐/☐ 입니다.

③ 9를 3씩 묶으면 3은 9의 ☐/☐ 입니다.

6은 9의 ☐/☐ 입니다.

④ 10을 2씩 묶으면 4는 10의 ☐/☐ 입니다.

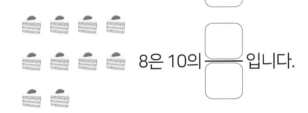

8은 10의 ☐/☐ 입니다.

⑤ 8을 2씩 묶으면 4는 8의 ☐/☐ 입니다.

6은 8의 ☐/☐ 입니다.

⑥ 16을 4씩 묶으면 8은 16의 ☐/☐ 입니다.

12는 16의 ☐/☐ 입니다.

그림을 보고 □에 알맞은 수를 써넣으세요.

①

전체를 3씩 묶으면 9는 12의 $\dfrac{\Box}{\Box}$ 입니다.

전체를 4씩 묶으면 8은 12의 $\dfrac{\Box}{\Box}$ 입니다.

전체를 6씩 묶으면 6은 12의 $\dfrac{\Box}{\Box}$ 입니다.

②

전체를 10씩 묶으면 10은 20의 $\dfrac{\Box}{\Box}$ 입니다.

전체를 5씩 묶으면 15는 20의 $\dfrac{\Box}{\Box}$ 입니다.

전체를 4씩 묶으면 12는 20의 $\dfrac{\Box}{\Box}$ 입니다.

□에 알맞은 수를 써넣으세요.

$\underline{32는 8씩 \boxed{4} 묶음이고}$ $\underline{16은 8씩 \boxed{2} 묶음이므로,}$ 16은 32의 $\dfrac{\overset{8씩\ 4묶음}{\boxed{2}}}{\underset{8씩\ 2묶음}{\boxed{4}}}$ 입니다.

$32 \div 8 = 4$ $16 \div 8 = 2$

---

① 36은 9씩 ⬚ 묶음이고 27은 9씩 ⬚ 묶음이므로, 27은 36의 $\dfrac{⬚}{⬚}$ 입니다.

② 48은 6씩 ⬚ 묶음이고 36은 6씩 ⬚ 묶음이므로, 36은 48의 $\dfrac{⬚}{⬚}$ 입니다.

③ 24는 4씩 ⬚ 묶음이고 8은 4씩 ⬚ 묶음이므로, 8은 24의 $\dfrac{⬚}{⬚}$ 입니다.

④ 55는 5씩 ⬚ 묶음이고, 30은 5씩 ⬚ 묶음이므로, 30은 55의 $\dfrac{⬚}{⬚}$ 입니다.

⑤ 49는 7씩 ⬚ 묶음이고 28은 7씩 ⬚ 묶음이므로, 28은 49의 $\dfrac{⬚}{⬚}$ 입니다.

□에 알맞은 수를 써넣으세요.

① 50은 5씩 ☐ 묶음이고 30은 5씩 ☐ 묶음이므로, 30은 50의 ☐/☐ 입니다.

② 16은 4씩 ☐ 묶음이고 12는 4씩 ☐ 묶음이므로, 12는 16의 ☐/☐ 입니다.

③ 40은 5씩 ☐ 묶음이고 25는 5씩 ☐ 묶음이므로, 25는 40의 ☐/☐ 입니다.

④ 27은 9씩 ☐ 묶음이고 18은 9씩 ☐ 묶음이므로, 18은 27의 ☐/☐ 입니다.

⑤ 63은 7씩 ☐ 묶음이고 35는 7씩 ☐ 묶음이므로, 35는 63의 ☐/☐ 입니다.

⑥ 56은 8씩 ☐ 묶음이고 48은 8씩 ☐ 묶음이므로, 48은 56의 ☐/☐ 입니다.

□에 알맞은 수를 써넣으세요.

① 52는 4씩 ▢ 묶음이고 40은 4씩 ▢ 묶음이므로, 40은 52의 ▢⁄▢ 입니다.

② 54는 9씩 ▢ 묶음이고 45는 9씩 ▢ 묶음이므로, 45는 54의 ▢⁄▢ 입니다.

③ 96은 8씩 ▢ 묶음이고 56은 8씩 ▢ 묶음이므로, 56은 96의 ▢⁄▢ 입니다.

④ 30은 6씩 ▢ 묶음이고 24는 6씩 ▢ 묶음이므로, 24는 30의 ▢⁄▢ 입니다.

⑤ 64는 8씩 ▢ 묶음이고 16은 8씩 ▢ 묶음이므로, 16은 64의 ▢⁄▢ 입니다.

⑥ 81은 9씩 ▢ 묶음이고 36은 9씩 ▢ 묶음이므로, 36은 81의 ▢⁄▢ 입니다.

분수로 나타내기 연습

🔍 □에 알맞은 수를 써넣으세요.

24를 6씩 묶으면 6은 24의 $\dfrac{1}{4}$ 입니다.

24는 6씩 4묶음(24 ÷ 6 = 4)이고, 6은 6씩 1묶음입니다.

① 81을 9씩 묶으면 9는 81의 $\dfrac{\Box}{\Box}$ 입니다.

② 36을 6씩 묶으면 6은 36의 $\dfrac{\Box}{\Box}$ 입니다.

③ 70을 7씩 묶으면 7은 70의 $\dfrac{\Box}{\Box}$ 입니다.

④ 9를 3씩 묶으면 3은 9의 $\dfrac{\Box}{\Box}$ 입니다.

⑤ 40을 5씩 묶으면 5는 40의 $\dfrac{\Box}{\Box}$ 입니다.

⑥ 45를 9씩 묶으면 9는 45의 $\dfrac{\Box}{\Box}$ 입니다.

⑦ 77을 7씩 묶으면 7은 77의 $\dfrac{\Box}{\Box}$ 입니다.

⑧ 35를 5씩 묶으면 5는 35의 $\dfrac{\Box}{\Box}$ 입니다.

⑨ 48을 4씩 묶으면 4는 48의 $\dfrac{\Box}{\Box}$ 입니다.

□에 알맞은 수를 써넣으세요.

27을 3씩 묶으면 15는 27의 $\dfrac{5}{9}$ 입니다.

27은 3씩 9묶음(27 ÷ 3 = 9)이고,
15는 3씩 5묶음입니다. (15 ÷ 3 = 5)

① 48을 6씩 묶으면 18은 48의 $\dfrac{\Box}{\Box}$ 입니다.

② 15를 5씩 묶으면 10은 15의 $\dfrac{\Box}{\Box}$ 입니다.

③ 66을 3씩 묶으면 33은 66의 $\dfrac{\Box}{\Box}$ 입니다.

④ 26을 2씩 묶으면 14는 26의 $\dfrac{\Box}{\Box}$ 입니다.

⑤ 40을 8씩 묶으면 16은 40의 $\dfrac{\Box}{\Box}$ 입니다.

⑥ 51을 3씩 묶으면 21은 51의 $\dfrac{\Box}{\Box}$ 입니다.

⑦ 88을 8씩 묶으면 56은 88의 $\dfrac{\Box}{\Box}$ 입니다.

⑧ 50을 5씩 묶으면 25는 50의 $\dfrac{\Box}{\Box}$ 입니다.

⑨ 20을 4씩 묶으면 16은 20의 $\dfrac{\Box}{\Box}$ 입니다.

🔍 □에 알맞은 수를 써넣으세요.

①
49를 7씩 묶으면
49 ÷ 7 = 7(묶음)

➡️ 14는 49의 $\frac{2}{7}$ 입니다.
14 ÷ 7 = 2(묶음)

➡️ 28은 49의 $\frac{\square}{\square}$ 입니다.

➡️ 35는 49의 $\frac{\square}{\square}$ 입니다.

②
60을 5씩 묶으면

➡️ 15는 60의 $\frac{\square}{\square}$ 입니다.

➡️ 30은 60의 $\frac{\square}{\square}$ 입니다.

➡️ 45는 60의 $\frac{\square}{\square}$ 입니다.

③
32를 4씩 묶으면

➡️ 12는 32의 $\frac{\square}{\square}$ 입니다.

➡️ 16은 32의 $\frac{\square}{\square}$ 입니다.

➡️ 28은 32의 $\frac{\square}{\square}$ 입니다.

④
54를 6씩 묶으면

➡️ 18은 54의 $\frac{\square}{\square}$ 입니다.

➡️ 30은 54의 $\frac{\square}{\square}$ 입니다.

➡️ 48은 54의 $\frac{\square}{\square}$ 입니다.

□에 알맞은 수를 써넣으세요.

8을 2씩 묶으면 4는 8의 $\dfrac{2}{4}$ 입니다.

8을 4씩 묶으면 4는 8의 $\dfrac{1}{2}$ 입니다.

$\dfrac{2}{4} = \dfrac{1}{2}$

① 18을 3씩 묶으면 12는 18의 $\dfrac{\square}{\square}$ 입니다.

18을 6씩 묶으면 12는 18의 $\dfrac{\square}{\square}$ 입니다.

$\dfrac{\square}{\square} = \dfrac{\square}{\square}$

② 32를 4씩 묶으면 8은 32의 $\dfrac{\square}{\square}$ 입니다.

32를 8씩 묶으면 8은 32의 $\dfrac{\square}{\square}$ 입니다.

$\dfrac{\square}{\square} = \dfrac{\square}{\square}$

③ 54를 3씩 묶으면 36은 54의 $\dfrac{\square}{\square}$ 입니다.

54를 9씩 묶으면 36은 54의 $\dfrac{\square}{\square}$ 입니다.

$\dfrac{\square}{\square} = \dfrac{\square}{\square}$

Tip

전체와 부분의 수는 같지만 묶는 방법에 따라 나타내는 분수가 달라집니다.

🎵 □에 알맞은 수를 써넣으세요.

① 80을 4씩 묶으면 40은 80의 $\dfrac{\Box}{\Box}$ 입니다.   80을 5씩 묶으면 40은 80의 $\dfrac{\Box}{\Box}$ 입니다.

80을 8씩 묶으면 40은 80의 $\dfrac{\Box}{\Box}$ 입니다. $\dfrac{\Box}{\Box} = \dfrac{\Box}{\Box} = \dfrac{\Box}{\Box}$

② 48을 2씩 묶으면 24는 48의 $\dfrac{\Box}{\Box}$ 입니다.   48을 4씩 묶으면 24는 48의 $\dfrac{\Box}{\Box}$ 입니다.

48을 6씩 묶으면 24는 48의 $\dfrac{\Box}{\Box}$ 입니다. $\dfrac{\Box}{\Box} = \dfrac{\Box}{\Box} = \dfrac{\Box}{\Box}$

③ 90을 2씩 묶으면 30은 90의 $\dfrac{\Box}{\Box}$ 입니다.   90을 3씩 묶으면 30은 90의 $\dfrac{\Box}{\Box}$ 입니다.

90을 5씩 묶으면 30은 90의 $\dfrac{\Box}{\Box}$ 입니다. $\dfrac{\Box}{\Box} = \dfrac{\Box}{\Box} = \dfrac{\Box}{\Box}$

□에 알맞은 수를 써넣으세요.

①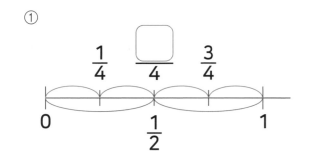

②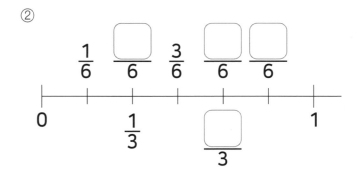

③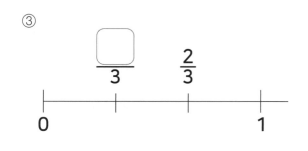

④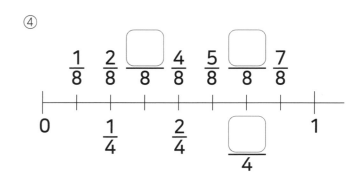

⑤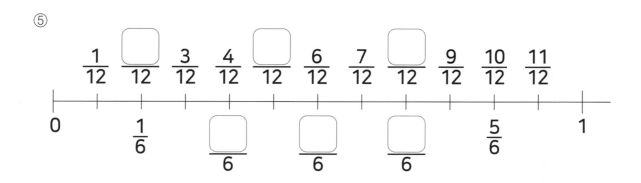

Tip

수직선에서 같은 위치에 있는 분수의 크기는 같습니다.

· **3**주차 ·

도전! 계산왕

전체 구하기와 분수로 나타내기

🐛 □에 알맞은 수를 써넣으세요.

① $\frac{1}{6}$ 이 5이면 전체는 □ 입니다.

② $\frac{2}{3}$ 가 14이면 전체는 □ 입니다.

③ $\frac{4}{8}$ 가 20이면 전체는 □ 입니다.

④ $\frac{6}{10}$ 이 36이면 전체는 □ 입니다.

⑤ 털실 $\frac{2}{5}$ 의 길이가 22 cm이면

전체의 길이는 □ cm입니다.

⑥ 막대 $\frac{3}{7}$ 의 길이가 15 cm이면

전체의 길이는 □ cm입니다.

⑦ 16을 4씩 묶으면 4는 16의 $\frac{□}{□}$ 입니다.

⑧ 32를 2씩 묶으면 2는 32의 $\frac{□}{□}$ 입니다.

⑨ 45를 9씩 묶으면 18은 45의 $\frac{□}{□}$ 입니다.

⑩ 20을 5씩 묶으면 15는 20의 $\frac{□}{□}$ 입니다.

⑪ 24를 4씩 묶으면 12는 24의 $\frac{□}{□}$ 입니다.

⑫ 48을 8씩 묶으면 40은 48의 $\frac{□}{□}$ 입니다.

1 일 ❷ 전체 구하기와 분수로 나타내기

□에 알맞은 수를 써넣으세요.

① $\frac{1}{3}$ 이 4이면 전체는 ☐ 입니다.

② $\frac{3}{4}$ 이 18이면 전체는 ☐ 입니다.

③ $\frac{2}{7}$ 가 22이면 전체는 ☐ 입니다.

④ $\frac{7}{11}$ 이 21이면 전체는 ☐ 입니다.

⑤ 색 테이프 $\frac{3}{6}$ 의 길이가 24 cm이면
전체의 길이는 ☐ cm입니다.

⑥ 철사 $\frac{5}{9}$ 의 길이가 40 cm이면
전체의 길이는 ☐ cm입니다.

⑦ 8을 2씩 묶으면 6은 8의 $\frac{☐}{☐}$ 입니다.

⑧ 15를 3씩 묶으면 9는 15의 $\frac{☐}{☐}$ 입니다.

⑨ 72를 8씩 묶으면 40은 72의 $\frac{☐}{☐}$ 입니다.

⑩ 34를 2씩 묶으면 20은 34의 $\frac{☐}{☐}$ 입니다.

⑪ 40을 5씩 묶으면 25는 40의 $\frac{☐}{☐}$ 입니다.

⑫ 39를 3씩 묶으면 18은 39의 $\frac{☐}{☐}$ 입니다.

2일 ❶

전체 구하기와 분수로 나타내기

💡 □에 알맞은 수를 써넣으세요.

① $\frac{1}{7}$ 이 7이면 전체는 □ 입니다.

② $\frac{7}{8}$ 이 28이면 전체는 □ 입니다.

③ $\frac{2}{4}$ 가 14이면 전체는 □ 입니다.

④ $\frac{8}{15}$ 이 32이면 전체는 □ 입니다.

⑤ 연필 $\frac{2}{3}$ 의 길이가 10 cm이면

전체의 길이는 □ cm입니다.

⑥ 리본 $\frac{4}{5}$ 의 길이가 16 cm이면

전체의 길이는 □ cm입니다.

⑦ 12를 3씩 묶으면 6은 12의 $\frac{\Box}{\Box}$ 입니다.

⑧ 55를 5씩 묶으면 30은 55의 $\frac{\Box}{\Box}$ 입니다.

⑨ 30을 6씩 묶으면 12는 30의 $\frac{\Box}{\Box}$ 입니다.

⑩ 64를 8씩 묶으면 24는 64의 $\frac{\Box}{\Box}$ 입니다.

⑪ 42를 7씩 묶으면 14는 42의 $\frac{\Box}{\Box}$ 입니다.

⑫ 90을 9씩 묶으면 72는 90의 $\frac{\Box}{\Box}$ 입니다.

2일 ②

전체 구하기와 분수로 나타내기

□에 알맞은 수를 써넣으세요.

① $\frac{1}{2}$ 이 9이면 전체는 □ 입니다.

② $\frac{7}{9}$ 이 63이면 전체는 □ 입니다.

③ $\frac{2}{4}$ 가 30이면 전체는 □ 입니다.

④ $\frac{8}{13}$ 이 16이면 전체는 □ 입니다.

⑤ 자 $\frac{2}{7}$ 의 길이가 8 cm이면

전체의 길이는 □ cm입니다.

⑥ 신발끈 $\frac{3}{5}$ 의 길이가 33 cm이면

전체의 길이는 □ cm입니다.

⑦ 16을 8씩 묶으면 8은 16의 $\frac{□}{□}$ 입니다.

⑧ 14를 7씩 묶으면 7은 14의 $\frac{□}{□}$ 입니다.

⑨ 28을 4씩 묶으면 20은 28의 $\frac{□}{□}$ 입니다.

⑩ 35를 5씩 묶으면 20은 35의 $\frac{□}{□}$ 입니다.

⑪ 24를 8씩 묶으면 16은 24의 $\frac{□}{□}$ 입니다.

⑫ 77를 7씩 묶으면 35는 77의 $\frac{□}{□}$ 입니다.

3일 ❶ 전체 구하기와 분수로 나타내기

💡 □에 알맞은 수를 써넣으세요.

① $\frac{1}{4}$ 이 10이면 전체는 [ ] 입니다.

② $\frac{3}{6}$ 이 36이면 전체는 [ ] 입니다.

③ $\frac{6}{8}$ 이 54이면 전체는 [ ] 입니다.

④ $\frac{9}{12}$ 가 18이면 전체는 [ ] 입니다.

⑤ 바늘 $\frac{1}{5}$ 의 길이가 5 cm이면

전체의 길이는 [ ] cm입니다.

⑥ 수수깡 $\frac{4}{7}$ 의 길이가 12 cm이면

전체의 길이는 [ ] cm입니다.

⑦ 12를 3씩 묶으면 3은 12의 $\frac{[\ ]}{[\ ]}$ 입니다.

⑧ 40을 8씩 묶으면 16은 40의 $\frac{[\ ]}{[\ ]}$ 입니다.

⑨ 48을 4씩 묶으면 20은 48의 $\frac{[\ ]}{[\ ]}$ 입니다.

⑩ 63을 9씩 묶으면 9는 63의 $\frac{[\ ]}{[\ ]}$ 입니다.

⑪ 18을 2씩 묶으면 14는 18의 $\frac{[\ ]}{[\ ]}$ 입니다.

⑫ 50을 5씩 묶으면 45는 50의 $\frac{[\ ]}{[\ ]}$ 입니다.

전체 구하기와 분수로 나타내기

공부한 날 | 월 일
점수 | / 12

□에 알맞은 수를 써넣으세요.

① $\frac{1}{5}$이 12이면 전체는 □입니다.

② $\frac{2}{3}$가 28이면 전체는 □입니다.

③ $\frac{2}{8}$가 14이면 전체는 □입니다.

④ $\frac{8}{16}$이 24이면 전체는 □입니다.

⑤ 바늘 $\frac{3}{4}$의 길이가 6 cm이면

전체의 길이는 □ cm입니다.

⑥ 색 테이프 $\frac{6}{7}$의 길이가 48 cm이면

전체의 길이는 □ cm입니다.

⑦ 10을 5씩 묶으면 5는 10의 $\frac{□}{□}$입니다.

⑧ 21을 7씩 묶으면 7은 21의 $\frac{□}{□}$입니다.

⑨ 36을 3씩 묶으면 30은 36의 $\frac{□}{□}$입니다.

⑩ 54를 6씩 묶으면 42는 54의 $\frac{□}{□}$입니다.

⑪ 24를 4씩 묶으면 20은 24의 $\frac{□}{□}$입니다.

⑫ 45를 9씩 묶으면 36은 45의 $\frac{□}{□}$입니다.

전체 구하기와 분수로 나타내기

❓ □에 알맞은 수를 써넣으세요.

① $\frac{1}{8}$이 11이면 전체는 □입니다.

② $\frac{3}{13}$이 21이면 전체는 □입니다.

③ $\frac{2}{5}$가 22이면 전체는 □입니다.

④ $\frac{9}{10}$가 27이면 전체는 □입니다.

⑤ 연필 $\frac{7}{11}$의 길이가 14 cm이면

전체의 길이는 □cm입니다.

⑥ 털실 $\frac{2}{4}$의 길이가 22 cm이면

전체의 길이는 □cm입니다.

⑦ 20을 5씩 묶으면 5는 20의 $\frac{□}{□}$입니다.

⑧ 28을 7씩 묶으면 14는 28의 $\frac{□}{□}$입니다.

⑨ 32를 4씩 묶으면 24는 32의 $\frac{□}{□}$입니다.

⑩ 63을 9씩 묶으면 27은 63의 $\frac{□}{□}$입니다.

⑪ 26을 2씩 묶으면 18은 26의 $\frac{□}{□}$입니다.

⑫ 49를 7씩 묶으면 42는 49의 $\frac{□}{□}$입니다.

4일 ❷

전체 구하기와 분수로 나타내기

🔍 □에 알맞은 수를 써넣으세요.

① $\frac{1}{9}$이 9이면 전체는 □ 입니다.

② $\frac{4}{17}$가 8이면 전체는 □ 입니다.

③ $\frac{2}{5}$가 34이면 전체는 □ 입니다.

④ $\frac{5}{8}$가 10이면 전체는 □ 입니다.

⑤ 리본 $\frac{3}{7}$의 길이가 24 cm이면

전체의 길이는 □ cm입니다.

⑥ 철사 $\frac{8}{10}$의 길이가 40 cm이면

전체의 길이는 □ cm입니다.

⑦ 42를 7씩 묶으면 7은 42의 $\frac{□}{□}$ 입니다.

⑧ 88을 8씩 묶으면 24는 88의 $\frac{□}{□}$ 입니다.

⑨ 28을 4씩 묶으면 16은 28의 $\frac{□}{□}$ 입니다.

⑩ 36을 6씩 묶으면 30은 36의 $\frac{□}{□}$ 입니다.

⑪ 35를 5씩 묶으면 5는 35의 $\frac{□}{□}$ 입니다.

⑫ 81을 9씩 묶으면 18은 81의 $\frac{□}{□}$ 입니다.

전체 구하기와 분수로 나타내기

5일 ❶

공부한날　월　일
점수　　　/12

💡 □에 알맞은 수를 써넣으세요.

① $\frac{1}{4}$ 이 150이면 전체는 □ 입니다.

② $\frac{5}{11}$ 가 25이면 전체는 □ 입니다.

③ $\frac{6}{7}$ 이 54이면 전체는 □ 입니다.

④ $\frac{4}{13}$ 가 12이면 전체는 □ 입니다.

⑤ 자 $\frac{5}{10}$ 의 길이가 10 cm이면

전체의 길이는 □ cm입니다.

⑥ 신발끈 $\frac{2}{8}$ 의 길이가 16 cm이면

전체의 길이는 □ cm입니다.

⑦ 30을 3씩 묶으면 6은 30의 $\frac{□}{□}$ 입니다.

⑧ 81을 9씩 묶으면 27은 81의 $\frac{□}{□}$ 입니다.

⑨ 44를 4씩 묶으면 24는 44의 $\frac{□}{□}$ 입니다.

⑩ 39를 3씩 묶으면 33은 39의 $\frac{□}{□}$ 입니다.

⑪ 45를 5씩 묶으면 35는 45의 $\frac{□}{□}$ 입니다.

⑫ 63을 7씩 묶으면 56은 63의 $\frac{□}{□}$ 입니다.

전체 구하기와 분수로 나타내기

⚠️ □에 알맞은 수를 써넣으세요.

① $\frac{1}{6}$ 이 11이면 전체는 □ 입니다.

② $\frac{4}{12}$ 가 16이면 전체는 □ 입니다.

③ $\frac{9}{15}$ 가 27이면 전체는 □ 입니다.

④ $\frac{2}{3}$ 가 48이면 전체는 □ 입니다.

⑤ 막대 $\frac{2}{11}$ 의 길이가 8 cm이면

전체의 길이는 □ cm입니다.

⑥ 철사 $\frac{7}{8}$ 의 길이가 35 cm이면

전체의 길이는 □ cm입니다.

⑦ 8을 2씩 묶으면 4는 8의 $\frac{□}{□}$ 입니다.

⑧ 21을 3씩 묶으면 18은 21의 $\frac{□}{□}$ 입니다.

⑨ 45를 9씩 묶으면 27은 45의 $\frac{□}{□}$ 입니다.

⑩ 25를 5씩 묶으면 5는 25의 $\frac{□}{□}$ 입니다.

⑪ 42를 3씩 묶으면 24는 42의 $\frac{□}{□}$ 입니다.

⑫ 81을 9씩 묶으면 36은 81의 $\frac{□}{□}$ 입니다.

4주차

분수만큼

전체의 분수만큼이 얼마인지 구하는 방법의 원리를 익히고 전체가 길이, 무게, 시간으로 주어진 경우도 충분히 연습할 수 있도록 합니다. 거꾸로 어떤 수의 분수만큼이 얼마일 때 어떤 수를 구하는 문제도 중요하기 때문에 확실히 이해하고 넘어가도록 합니다.

👆 알맞게 묶고 ☐에 알맞은 수를 써넣으세요.

12의 $\dfrac{1}{3}$은 $\boxed{4}$ 입니다.

12를 3묶음으로 나눈 것 중 1묶음은 4입니다.

①

9의 $\dfrac{1}{3}$은 $\boxed{}$ 입니다.

②

10의 $\dfrac{1}{5}$은 $\boxed{}$ 입니다.

③

8의 $\dfrac{1}{4}$은 $\boxed{}$ 입니다.

④

18의 $\dfrac{1}{6}$은 $\boxed{}$ 입니다.

□에 알맞은 수를 써넣으세요.

12의 $\frac{1}{4}$ 은 3 입니다.

12를 4로 나눈 것 중 1은 3 (12 ÷ 4 = 3)

① 15의 $\frac{1}{3}$ 은

☐ 입니다.

② 10의 $\frac{1}{2}$ 은

☐ 입니다.

③ 20의 $\frac{1}{4}$ 은

☐ 입니다.

④ 14의 $\frac{1}{7}$ 은

☐ 입니다.

⑤ 21의 $\frac{1}{3}$ 은

☐ 입니다.

⑥ 24의 $\frac{1}{6}$ 은

☐ 입니다.

⑦ 32의 $\frac{1}{4}$ 은

☐ 입니다.

⑧ 18의 $\frac{1}{2}$ 은

☐ 입니다.

⑨ 30의 $\frac{1}{5}$ 은

☐ 입니다.

⑩ 33의 $\frac{1}{3}$ 은

☐ 입니다.

⑪ 48의 $\frac{1}{6}$ 은

☐ 입니다.

🐛 □에 알맞은 수를 써넣으세요.

① 12 cm의 $\frac{1}{6}$ 은
12÷6
□ cm입니다.

② 20 cm의 $\frac{1}{5}$ 은
□ cm입니다.

③ 16 cm의 $\frac{1}{4}$ 은
□ cm입니다.

④ 35 cm의 $\frac{1}{7}$ 은
□ cm입니다.

⑤ 36 cm의 $\frac{1}{3}$ 은
□ cm입니다.

⑥ 20초의 $\frac{1}{2}$ 은
□ 초입니다.

⑦ 40초의 $\frac{1}{8}$ 은
□ 초입니다.

⑧ 18 cm의 $\frac{1}{3}$ 은
□ cm입니다.

⑨ 42초의 $\frac{1}{7}$ 은
□ 초입니다.

⑩ 15초의 $\frac{1}{5}$ 은
□ 초입니다.

⑪ 36초의 $\frac{1}{6}$ 은
□ 초입니다.

⑫ 48초의 $\frac{1}{8}$ 은
□ 초입니다.

분수만큼 이해하기

□에 알맞은 수를 써넣으세요.

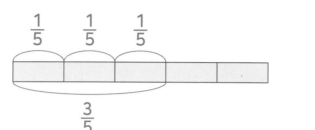

$\dfrac{3}{5}$은 $\dfrac{1}{5}$이 $\boxed{3}$ 개입니다.

① 6배
$\dfrac{6}{7}$은 $\dfrac{1}{7}$이

□ 개입니다.

② $\dfrac{2}{3}$는 $\dfrac{1}{3}$이

□ 개입니다.

③ $\dfrac{8}{9}$은 $\dfrac{1}{9}$이

□ 개입니다.

④ $\dfrac{4}{6}$는 $\dfrac{1}{6}$이

□ 개입니다.

⑤ $\dfrac{3}{4}$은 $\dfrac{1}{4}$이

□ 개입니다.

⑥ $\dfrac{6}{8}$은 $\dfrac{1}{8}$이

□ 개입니다.

⑦ $\dfrac{7}{10}$은 $\dfrac{1}{10}$이

□ 개입니다.

⑧ $\dfrac{4}{5}$는 $\dfrac{1}{5}$이

□ 개입니다.

⑨ $\dfrac{9}{12}$는 $\dfrac{1}{12}$이

□ 개입니다.

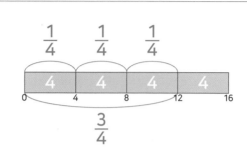

□에 알맞은 수를 써넣으세요.

16의 $\frac{1}{4}$ 은 $\boxed{4}$ 이고,

$\frac{3}{4}$ 은 $\frac{1}{4}$ 이 $\boxed{3}$ 개이므로

16의 $\frac{3}{4}$ 은 $\boxed{4}$ × $\boxed{3}$ = $\boxed{12}$ 입니다.

① 12의 $\frac{1}{6}$ 은 ⬚ 이고,

$\frac{5}{6}$ 는 $\frac{1}{6}$ 이 ⬚ 개이므로

12의 $\frac{5}{6}$ 는 ⬚ × ⬚ = ⬚ 입니다.

② 30의 $\frac{1}{3}$ 은 ⬚ 이고,

$\frac{2}{3}$ 는 $\frac{1}{3}$ 이 ⬚ 개이므로

30의 $\frac{2}{3}$ 는 ⬚ × ⬚ = ⬚ 입니다.

③ 24의 $\frac{1}{8}$ 은 ⬚ 이고,

$\frac{7}{8}$ 은 $\frac{1}{8}$ 이 ⬚ 개이므로

24의 $\frac{7}{8}$ 은 ⬚ × ⬚ = ⬚ 입니다.

④ 35의 $\frac{1}{5}$ 은 ⬚ 이고,

$\frac{3}{5}$ 은 $\frac{1}{5}$ 이 ⬚ 개이므로

35의 $\frac{3}{5}$ 은 ⬚ × ⬚ = ⬚ 입니다.

⑤ 36의 $\frac{1}{9}$ 은 ⬚ 이고,

$\frac{8}{9}$ 은 $\frac{1}{9}$ 이 ⬚ 개이므로

36의 $\frac{8}{9}$ 은 ⬚ × ⬚ = ⬚ 입니다.

⑥ 18의 $\frac{1}{6}$ 은 ⬚ 이고,

$\frac{5}{6}$ 는 $\frac{1}{6}$ 이 ⬚ 개이므로

18의 $\frac{5}{6}$ 는 ⬚ × ⬚ = ⬚ 입니다.

□에 알맞은 수를 써넣으세요.

12의 $\frac{2}{3}$ 는 $\boxed{8}$ 입니다.

12를 3으로 나눈 것 중 2를 구합니다.

12의 $\frac{1}{3}$ 은 12 ÷ 3 = 4이므로

12의 $\frac{2}{3}$ 는 4 × 2 = 8입니다.

① 15의 $\frac{2}{5}$ 는   15 ÷ 5 = 3
                          3 × 2 = $\boxed{}$

$\boxed{}$ 입니다.

② 18의 $\frac{4}{9}$ 는

$\boxed{}$ 입니다.

③ 14의 $\frac{3}{7}$ 은

$\boxed{}$ 입니다.

④ 24의 $\frac{5}{8}$ 는

$\boxed{}$ 입니다.

⑤ 16의 $\frac{2}{4}$ 는

$\boxed{}$ 입니다.

⑥ 30의 $\frac{3}{5}$ 은

$\boxed{}$ 입니다.

⑦ 60의 $\frac{6}{10}$ 은

$\boxed{}$ 입니다.

⑧ 35의 $\frac{4}{7}$ 는

$\boxed{}$ 입니다.

⑨ 10의 $\frac{3}{5}$ 은

$\boxed{}$ 입니다.

⑩ 21의 $\frac{2}{3}$ 는

$\boxed{}$ 입니다.

⑪ 27의 $\frac{7}{9}$ 은

$\boxed{}$ 입니다.

⑫ 36의 $\frac{3}{6}$ 은

$\boxed{}$ 입니다.

❔ □에 알맞은 수를 써넣으세요.

① 1 m 20 cm의 $\frac{2}{6}$는

100 + 20 = 120(cm)

□ cm입니다.

② 1 m 60 cm의 $\frac{3}{4}$은

□ cm입니다.

③ 1 m 8 cm의 $\frac{8}{9}$은

□ cm입니다.

④ 1 m 10 cm의 $\frac{4}{5}$는

□ cm입니다.

⑤ 1 m 2 cm의 $\frac{2}{3}$는

□ cm입니다.

⑥ 1 m 26 cm의 $\frac{3}{7}$은

□ cm입니다.

⑦ 1 m 4 cm의 $\frac{2}{4}$는

□ cm입니다.

⑧ 1 m 12 cm의 $\frac{7}{8}$은

□ cm입니다.

⑨ 1 m 14 cm의 $\frac{5}{6}$는

□ cm입니다.

⑩ 1 m 19 cm의 $\frac{6}{7}$은

□ cm입니다.

⑪ 1 m 80 cm의 $\frac{3}{9}$은

□ cm입니다.

⑫ 1 m 30 cm의 $\frac{2}{5}$는

□ cm입니다.

Tip

1 m = 100 cm입니다.

□에 알맞은 수를 써넣으세요.

① 40 kg의 $\frac{3}{8}$은

☐ kg입니다.

② 15 kg의 $\frac{2}{3}$는

☐ kg입니다.

③ 12 kg의 $\frac{3}{4}$은

☐ kg입니다.

④ 70 kg의 $\frac{6}{7}$은

☐ kg입니다.

⑤ 45 kg의 $\frac{3}{5}$은

☐ kg입니다.

⑥ 27 kg의 $\frac{5}{9}$는

☐ kg입니다.

⑦ 28 kg의 $\frac{2}{4}$는

☐ kg입니다.

⑧ 48 kg의 $\frac{6}{8}$은

☐ kg입니다.

⑨ 54 kg의 $\frac{5}{6}$는

☐ kg입니다.

⑩ 30 kg의 $\frac{2}{5}$는

☐ kg입니다.

⑪ 49 kg의 $\frac{3}{7}$은

☐ kg입니다.

⑫ 90 kg의 $\frac{4}{9}$는

☐ kg입니다.

□에 알맞은 수를 써넣으세요.

① 1분 10초의 $\frac{2}{5}$ 는
60 + 10 = 70(초)
[ ] 초입니다.

② 35초의 $\frac{4}{7}$ 는
[ ] 초입니다.

③ 1분 30초의 $\frac{2}{3}$ 는
[ ] 초입니다.

④ 1분 12초의 $\frac{5}{8}$ 는
[ ] 초입니다.

⑤ 1분 4초의 $\frac{3}{4}$ 은
[ ] 초입니다.

⑥ 1분 6초의 $\frac{4}{6}$ 는
[ ] 초입니다.

⑦ 1분 3초의 $\frac{7}{9}$ 은
[ ] 초입니다.

⑧ 1분 15초의 $\frac{4}{5}$ 는
[ ] 초입니다.

⑨ 1분 20초의 $\frac{2}{8}$ 는
[ ] 초입니다.

⑩ 1분 17초의 $\frac{6}{7}$ 은
[ ] 초입니다.

⑪ 40초의 $\frac{3}{4}$ 은
[ ] 초입니다.

⑫ 1분 16초의 $\frac{2}{4}$ 는
[ ] 초입니다.

Tip
1분 = 60초입니다.

어떤 수 이해하기

동영상 해설

💡 □에 알맞은 수를 써넣으세요.

어떤 수의 $\frac{3}{4}$ 은 24입니다.

어떤 수 = 32

① 어떤 수의 $\frac{3}{4}$ 이 24

② $\frac{1}{4}$ 은 8 (24 ÷ 3 = 8)

③ 어떤 수는 32 (8 × 4 = 32)

8   8   8   8

① 어떤 수의 $\frac{2}{3}$ 는 18입니다.

어떤 수 = [ ]   18 ÷ 2 = 9

9 × 3 = [ ]

② 어떤 수의 $\frac{1}{5}$ 은 10입니다.

어떤 수 = [ ]

③ 어떤 수의 $\frac{4}{7}$ 는 28입니다.

어떤 수 = [ ]

④ 어떤 수의 $\frac{5}{9}$ 는 20입니다.

어떤 수 = [ ]

⑤ 어떤 수의 $\frac{2}{4}$ 는 8입니다.

어떤 수 = [ ]

⑥ 어떤 수의 $\frac{5}{6}$ 는 15입니다.

어떤 수 = [ ]

⑦ 어떤 수의 $\frac{7}{8}$ 은 21입니다.

어떤 수 = [ ]

⑧ 어떤 수의 $\frac{3}{5}$ 은 24입니다.

어떤 수 = [ ]

⑨ 어떤 수의 $\frac{8}{9}$ 은 16입니다.

어떤 수 = [ ]

□에 알맞은 수를 써넣으세요.

① 어떤 수의 $\frac{3}{12}$ 은 15입니다.

어떤 수 = ☐

② 어떤 수의 $\frac{5}{9}$ 는 60입니다.

어떤 수 = ☐

③ 어떤 수의 $\frac{8}{15}$ 은 24입니다.

어떤 수 = ☐

④ 어떤 수의 $\frac{9}{11}$ 는 27입니다.

어떤 수 = ☐

⑤ 어떤 수의 $\frac{4}{13}$ 는 36입니다.

어떤 수 = ☐

⑥ 어떤 수의 $\frac{7}{16}$ 은 21입니다.

어떤 수 = ☐

⑦ 어떤 수의 $\frac{6}{8}$ 은 30입니다.

어떤 수 = ☐

⑧ 어떤 수의 $\frac{5}{14}$ 는 35입니다.

어떤 수 = ☐

⑨ 어떤 수의 $\frac{7}{12}$ 은 28입니다.

어떤 수 = ☐

⑩ 어떤 수의 $\frac{3}{15}$ 은 12입니다.

어떤 수 = ☐

⑪ 어떤 수의 $\frac{9}{16}$ 는 45입니다.

어떤 수 = ☐

⑫ 어떤 수의 $\frac{2}{7}$ 는 20입니다.

어떤 수 = ☐

✌ □에 알맞은 수를 써넣으세요.

① 어떤 수의 $\frac{5}{9}$ 는 45입니다.

어떤 수 = ☐

② 어떤 수의 $\frac{2}{3}$ 는 24입니다.

어떤 수 = ☐

③ 어떤 수의 $\frac{8}{11}$ 은 16입니다.

어떤 수 = ☐

④ 어떤 수의 $\frac{9}{15}$ 는 27입니다.

어떤 수 = ☐

⑤ 어떤 수의 $\frac{5}{12}$ 는 20입니다.

어떤 수 = ☐

⑥ 어떤 수의 $\frac{7}{8}$ 은 14입니다.

어떤 수 = ☐

⑦ 어떤 수의 $\frac{4}{10}$ 는 24입니다.

어떤 수 = ☐

⑧ 어떤 수의 $\frac{6}{14}$ 은 36입니다.

어떤 수 = ☐

⑨ 어떤 수의 $\frac{8}{16}$ 은 32입니다.

어떤 수 = ☐

⑩ 어떤 수의 $\frac{5}{7}$ 는 40입니다.

어떤 수 = ☐

⑪ 어떤 수의 $\frac{7}{13}$ 은 21입니다.

어떤 수 = ☐

⑫ 어떤 수의 $\frac{8}{17}$ 은 16입니다.

어떤 수 = ☐

🐛 □에 알맞은 수를 써넣으세요.

어떤 수의 $\frac{3}{8}$ 은 18입니다.

$18 \div 3 = 6$
$6 \times 8 = 48$

어떤 수의 $\frac{5}{6}$ 는 $\boxed{40}$ 입니다.

$48 \div 6 = 8$
$8 \times 5 = 40$

---

① 어떤 수의 $\frac{4}{6}$ 는 40입니다.

어떤 수의 $\frac{7}{10}$ 은 □ 입니다.

② 어떤 수의 $\frac{2}{7}$ 는 24입니다.

어떤 수의 $\frac{3}{4}$ 은 □ 입니다.

③ 어떤 수의 $\frac{8}{9}$ 은 40입니다.

어떤 수의 $\frac{2}{5}$ 는 □ 입니다.

④ 어떤 수의 $\frac{2}{3}$ 는 30입니다.

어떤 수의 $\frac{8}{9}$ 은 □ 입니다.

⑤ 어떤 수의 $\frac{3}{5}$ 은 21입니다.

어떤 수의 $\frac{4}{7}$ 는 □ 입니다.

⑥ 어떤 수의 $\frac{1}{2}$ 은 15입니다.

어떤 수의 $\frac{2}{3}$ 는 □ 입니다.

⑦ 어떤 수의 $\frac{3}{4}$ 은 36입니다.

어떤 수의 $\frac{6}{8}$ 은 □ 입니다.

⑧ 어떤 수의 $\frac{7}{8}$ 은 49입니다.

어떤 수의 $\frac{2}{4}$ 는 □ 입니다.

⑨ 어떤 수의 $\frac{2}{6}$ 는 18입니다.

어떤 수의 $\frac{3}{9}$ 은 □ 입니다.

 □에 알맞은 수를 써넣으세요.

① 어떤 수의 $\frac{9}{10}$ 는 45입니다.

  어떤 수의 $\frac{4}{5}$ 는 [ ] 입니다.

② 어떤 수의 $\frac{7}{14}$ 은 28입니다.

  어떤 수의 $\frac{3}{7}$ 은 [ ] 입니다.

③ 어떤 수의 $\frac{2}{16}$ 는 10입니다.

  어떤 수의 $\frac{7}{8}$ 은 [ ] 입니다.

④ 어떤 수의 $\frac{3}{8}$ 은 15입니다.

  어떤 수의 $\frac{2}{5}$ 는 [ ] 입니다.

⑤ 어떤 수의 $\frac{6}{12}$ 은 42입니다.

  어떤 수의 $\frac{3}{4}$ 은 [ ] 입니다.

⑥ 어떤 수의 $\frac{8}{15}$ 은 24입니다.

  어떤 수의 $\frac{6}{9}$ 은 [ ] 입니다.

⑦ 어떤 수의 $\frac{3}{11}$ 은 9입니다.

  어떤 수의 $\frac{2}{3}$ 는 [ ] 입니다.

⑧ 어떤 수의 $\frac{5}{7}$ 는 20입니다.

  어떤 수의 $\frac{2}{4}$ 는 [ ] 입니다.

⑨ 어떤 수의 $\frac{7}{13}$ 은 42입니다.

  어떤 수의 $\frac{5}{6}$ 는 [ ] 입니다.

⑩ 어떤 수의 $\frac{2}{18}$ 는 8입니다.

  어떤 수의 $\frac{7}{9}$ 은 [ ] 입니다.

□에 알맞은 수를 써넣으세요.

① 어떤 수의 $\dfrac{8}{15}$ 은 32입니다.

어떤 수의 $\dfrac{3}{5}$ 은 □ 입니다.

② 어떤 수의 $\dfrac{6}{20}$ 은 18입니다.

어떤 수의 $\dfrac{5}{6}$ 는 □ 입니다.

③ 어떤 수의 $\dfrac{8}{24}$ 은 16입니다.

어떤 수의 $\dfrac{2}{8}$ 는 □ 입니다.

④ 어떤 수의 $\dfrac{9}{21}$ 는 27입니다.

어떤 수의 $\dfrac{1}{3}$ 은 □ 입니다.

⑤ 어떤 수의 $\dfrac{5}{18}$ 는 10입니다.

어떤 수의 $\dfrac{3}{6}$ 은 □ 입니다.

⑥ 어떤 수의 $\dfrac{7}{14}$ 은 28입니다.

어떤 수의 $\dfrac{2}{4}$ 는 □ 입니다.

⑦ 어떤 수의 $\dfrac{2}{10}$ 는 20입니다.

어떤 수의 $\dfrac{4}{5}$ 는 □ 입니다.

⑧ 어떤 수의 $\dfrac{8}{22}$ 은 24입니다.

어떤 수의 $\dfrac{5}{6}$ 는 □ 입니다.

⑨ 어떤 수의 $\dfrac{3}{12}$ 은 12입니다.

어떤 수의 $\dfrac{7}{8}$ 은 □ 입니다.

⑩ 어떤 수의 $\dfrac{5}{16}$ 는 25입니다.

어떤 수의 $\dfrac{9}{10}$ 는 □ 입니다.

• **5**주차 •
여러 가지 분수

진분수, 가분수, 대분수의 의미를 정확히 알고 수직선에 나타내거나 서로 크기를 비교하는 방법을 알아봅니다. 대분수를 가분수로, 가분수를 대분수로 나타내는 방법을 확실히 이해하고 충분히 연습할 수 있도록 합니다.

분수를 알맞게 쓰고 진분수에 ○표, 가분수에 △표 하세요.

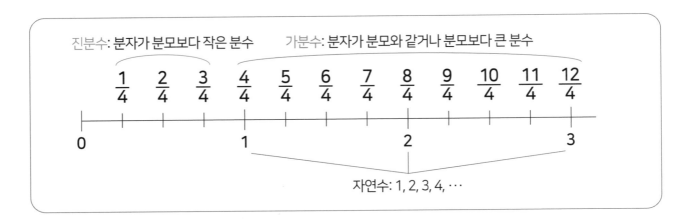

진분수: 분자가 분모보다 작은 분수   가분수: 분자가 분모와 같거나 분모보다 큰 분수

자연수: 1, 2, 3, 4, …

①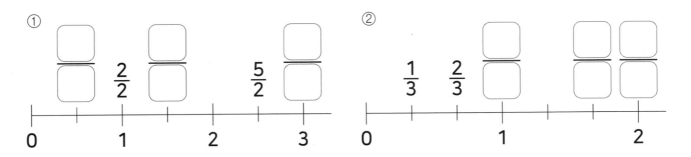

②

③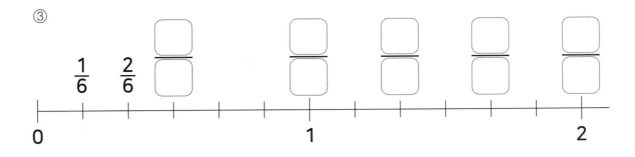

④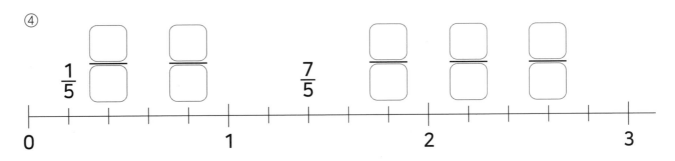

🧭 색칠된 부분을 분수로 나타내세요.

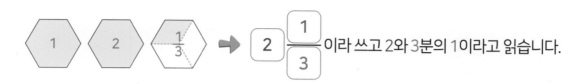

2 $\dfrac{1}{3}$ 이라 쓰고 2와 3분의 1이라고 읽습니다.

대분수: 2 $\dfrac{1}{3}$ 과 같이 자연수와 진분수로 이루어진 분수

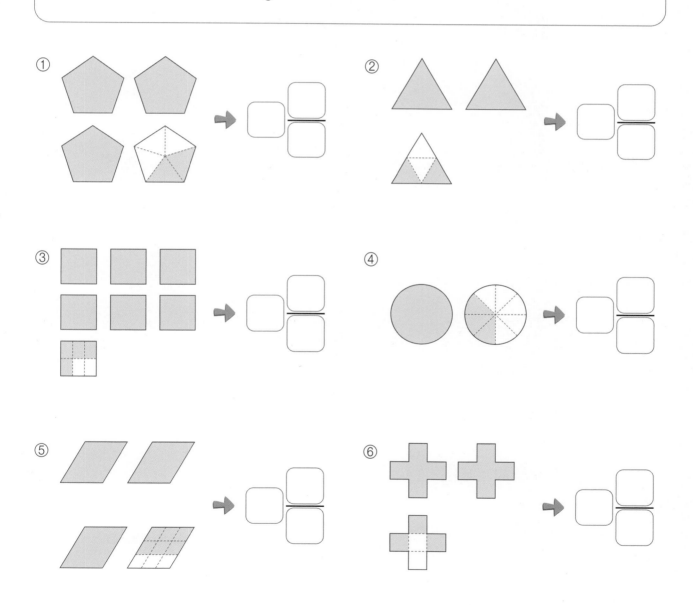

대분수를 모두 찾아 ◯표 하세요.

$3\frac{3}{4}$ $\frac{3}{4}$ $2\frac{7}{6}$ $\frac{10}{7}$ $1\frac{6}{9}$

① $\frac{7}{10}$ $2\frac{1}{5}$ $\frac{9}{3}$ $3\frac{7}{7}$ $5\frac{10}{11}$

② $\frac{4}{2}$ $1\frac{12}{8}$ $2\frac{2}{3}$ $\frac{5}{6}$ $4\frac{7}{4}$

③ $2\frac{3}{12}$ $3\frac{2}{5}$ $\frac{4}{4}$ $1\frac{7}{13}$ $\frac{7}{5}$

④ $5\frac{7}{8}$ $\frac{1}{3}$ $\frac{8}{3}$ $2\frac{4}{9}$ $8\frac{13}{13}$

⑤ $\frac{2}{7}$ $\frac{9}{5}$ $3\frac{1}{2}$ $5\frac{3}{8}$ $1\frac{7}{6}$

주어진 분수를 다음과 같이 분류하세요.

$\frac{3}{6}$ $\frac{9}{7}$ $2\frac{3}{7}$ $\frac{3}{9}$ $3\frac{4}{5}$ $\frac{11}{10}$ $1\frac{7}{13}$ $\frac{2}{3}$ $\frac{12}{15}$

진분수를 모두 써 보세요. _____

가분수를 모두 써 보세요. _____

대분수를 모두 써 보세요. _____

수직선과 분수

□에 알맞은 수를 써넣으세요.

①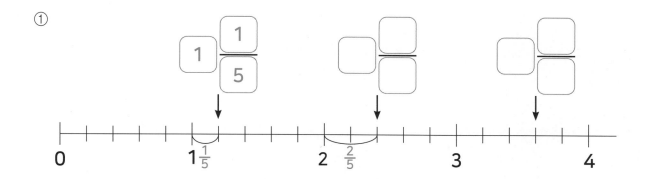

②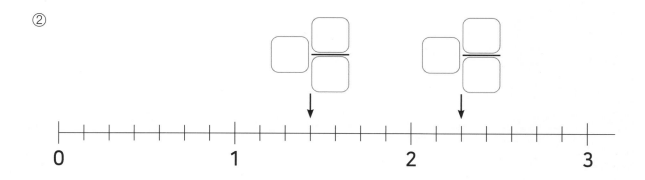

③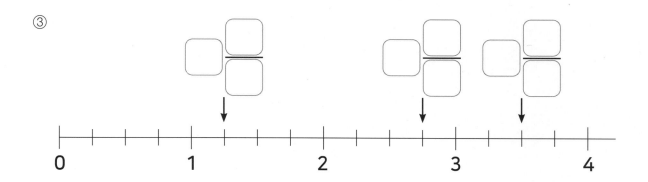

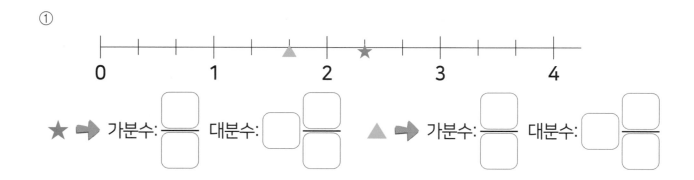

수직선에 표시된 ★, ▲를 가분수와 대분수로 나타내세요.

①

★ ➡ 가분수: ⬚/⬚ 대분수: ⬚ ⬚/⬚   ▲ ➡ 가분수: ⬚/⬚ 대분수: ⬚ ⬚/⬚

②

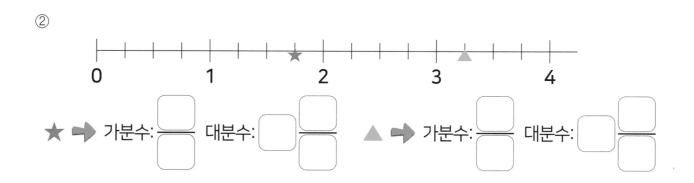

★ ➡ 가분수: ⬚/⬚ 대분수: ⬚ ⬚/⬚   ▲ ➡ 가분수: ⬚/⬚ 대분수: ⬚ ⬚/⬚

③

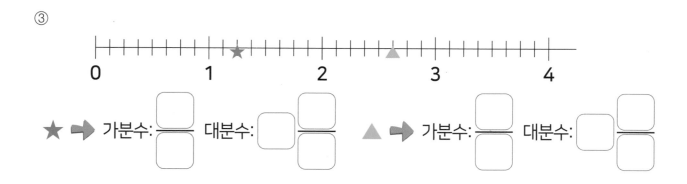

★ ➡ 가분수: ⬚/⬚ 대분수: ⬚ ⬚/⬚   ▲ ➡ 가분수: ⬚/⬚ 대분수: ⬚ ⬚/⬚

수직선에 표시된 ★, ▲를 가분수와 대분수로 나타내세요.

①

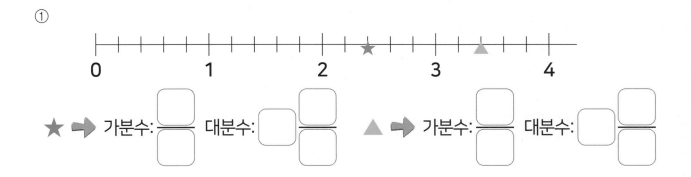

★ ➡ 가분수: □/□ 대분수: □ □/□   ▲ ➡ 가분수: □/□ 대분수: □ □/□

②

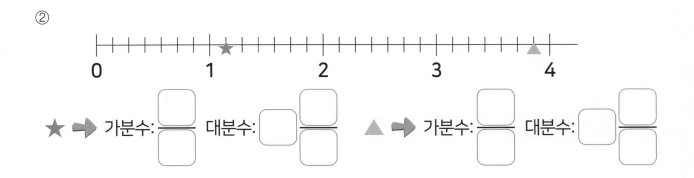

★ ➡ 가분수: □/□ 대분수: □ □/□   ▲ ➡ 가분수: □/□ 대분수: □ □/□

③

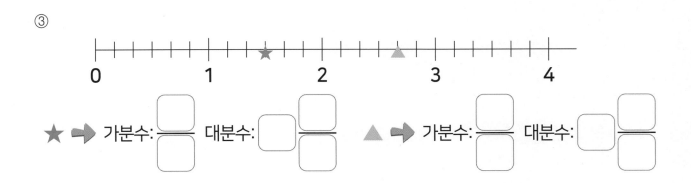

★ ➡ 가분수: □/□ 대분수: □ □/□   ▲ ➡ 가분수: □/□ 대분수: □ □/□

대분수를 가분수로 나타내세요.

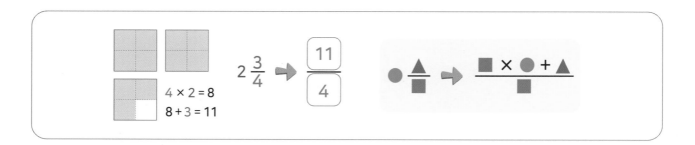

① $1\dfrac{5}{9}$ →

② $3\dfrac{2}{4}$ →

③ $6\dfrac{1}{2}$ →

④ $2\dfrac{3}{7}$ →

⑤ $5\dfrac{2}{3}$ →

⑥ $7\dfrac{3}{8}$ →

⑦ $4\dfrac{4}{5}$ →

⑧ $1\dfrac{5}{6}$ →

⑨ $8\dfrac{2}{9}$ →

⑩ $3\dfrac{6}{8}$ →

⑪ $2\dfrac{1}{3}$ →

⑫ $6\dfrac{5}{7}$ →

가분수를 대분수로 나타내세요.

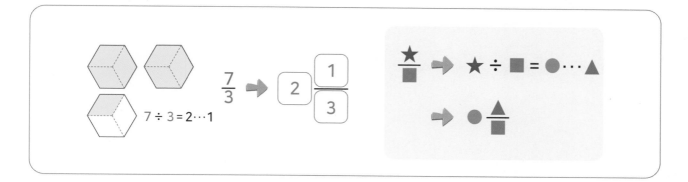

① $\dfrac{13}{6}$ ➡ ☐$\dfrac{\square}{\square}$

② $\dfrac{11}{9}$ ➡ ☐$\dfrac{\square}{\square}$

③ $\dfrac{28}{5}$ ➡ ☐$\dfrac{\square}{\square}$

④ $\dfrac{22}{7}$ ➡ ☐$\dfrac{\square}{\square}$

⑤ $\dfrac{17}{4}$ ➡ ☐$\dfrac{\square}{\square}$

⑥ $\dfrac{15}{2}$ ➡ ☐$\dfrac{\square}{\square}$

⑦ $\dfrac{52}{8}$ ➡ ☐$\dfrac{\square}{\square}$

⑧ $\dfrac{20}{3}$ ➡ ☐$\dfrac{\square}{\square}$

⑨ $\dfrac{25}{9}$ ➡ ☐$\dfrac{\square}{\square}$

⑩ $\dfrac{33}{5}$ ➡ ☐$\dfrac{\square}{\square}$

⑪ $\dfrac{41}{6}$ ➡ ☐$\dfrac{\square}{\square}$

⑫ $\dfrac{61}{7}$ ➡ ☐$\dfrac{\square}{\square}$

대분수는 가분수로, 가분수는 대분수로 나타내세요.

① $3\frac{2}{6}$ ➡ $\frac{\square}{\square}$

② $1\frac{3}{5}$ ➡ $\frac{\square}{\square}$

③ $7\frac{1}{4}$ ➡ $\frac{\square}{\square}$

④ $2\frac{2}{10}$ ➡ $\frac{\square}{\square}$

⑤ $4\frac{5}{13}$ ➡ $\frac{\square}{\square}$

⑥ $3\frac{8}{11}$ ➡ $\frac{\square}{\square}$

⑦ $\frac{13}{3}$ ➡ $\square\frac{\square}{\square}$

⑧ $\frac{22}{8}$ ➡ $\square\frac{\square}{\square}$

⑨ $\frac{29}{5}$ ➡ $\square\frac{\square}{\square}$

⑩ $\frac{17}{7}$ ➡ $\square\frac{\square}{\square}$

⑪ $\frac{31}{4}$ ➡ $\square\frac{\square}{\square}$

⑫ $\frac{80}{9}$ ➡ $\square\frac{\square}{\square}$

⑬ $2\frac{3}{8}$ ➡ $\frac{\square}{\square}$

⑭ $\frac{55}{6}$ ➡ $\square\frac{\square}{\square}$

⑮ $5\frac{5}{6}$ ➡ $\frac{\square}{\square}$

분수 바꾸기 퍼즐

수 카드를 한 번씩 사용하여 만들 수 있는 대분수를 모두 쓰고, 가분수로 나타내세요.

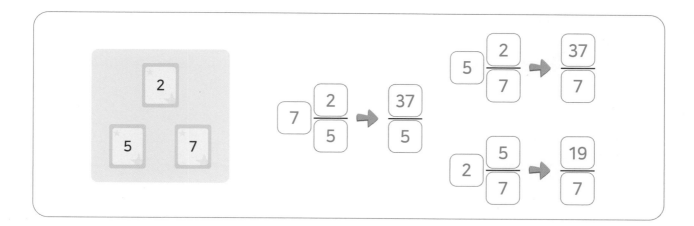

①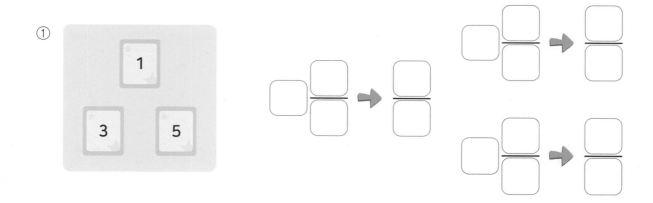

②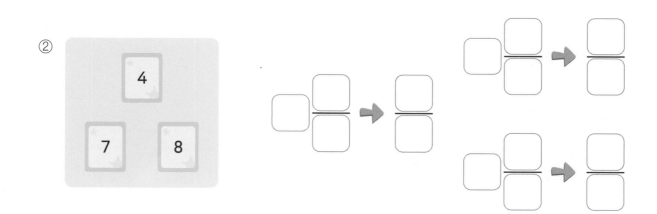

수 카드를 한 번씩 사용하여 만들 수 있는 가분수를 모두 쓰고, 대분수로 나타내세요.

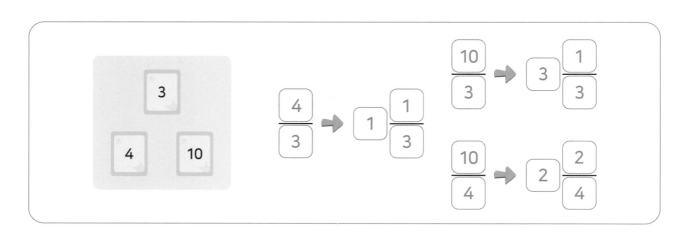

①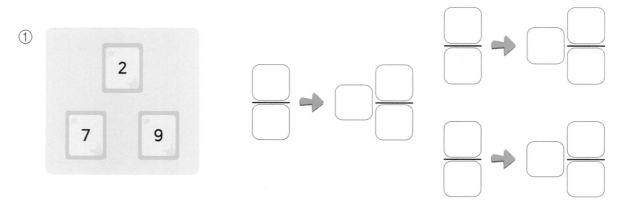

②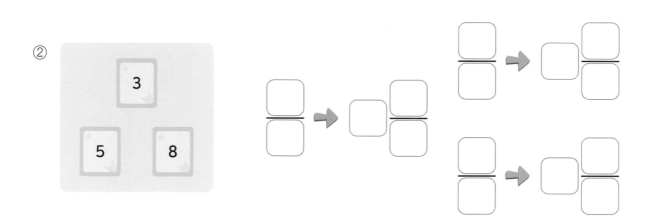

수 카드를 한 번씩 사용하여 만들 수 있는 가분수를 모두 쓰고, 대분수로 나타내세요.

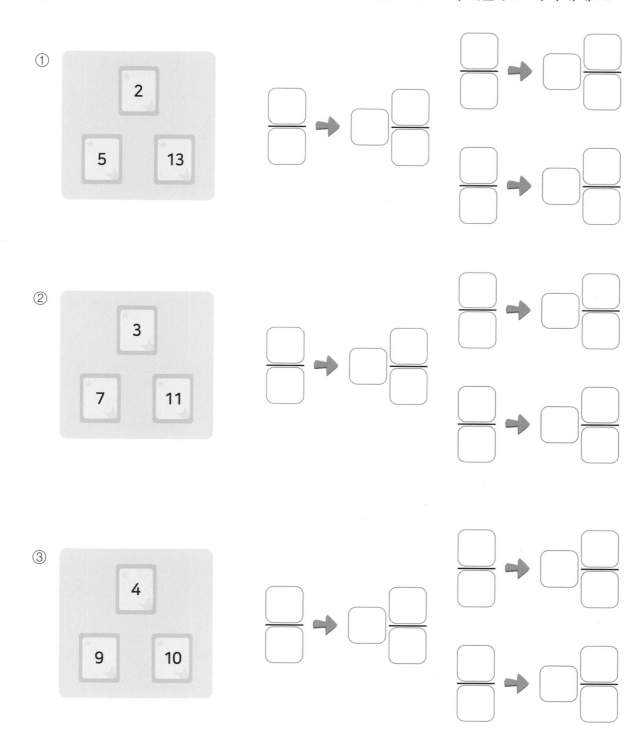

분수의 크기를 비교하여 ◯에 >, <를 알맞게 써넣으세요.

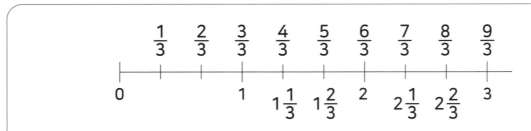

수직선에서 왼쪽에 있는 수보다 오른쪽에 있는 수가 더 큽니다.

① $\dfrac{9}{5}$ ◯ $\dfrac{7}{5}$

② $2\dfrac{5}{10}$ ◯ $2\dfrac{9}{10}$

③ $4\dfrac{1}{7}$ ◯ $3\dfrac{6}{7}$

④ $\dfrac{5}{4}$ ◯ $\dfrac{9}{4}$

⑤ $\dfrac{11}{9}$ ◯ $\dfrac{15}{9}$

⑥ $2\dfrac{3}{6}$ ◯ $2\dfrac{4}{6}$

⑦ $3\dfrac{6}{11}$ ◯ $2\dfrac{10}{11}$

⑧ $\dfrac{9}{8}$ ◯ $\dfrac{7}{8}$

⑨ $\dfrac{14}{3}$ ◯ $\dfrac{16}{3}$

⑩ $6\dfrac{2}{5}$ ◯ $5\dfrac{4}{5}$

⑪ $4\dfrac{7}{12}$ ◯ $4\dfrac{8}{12}$

⑫ $1\dfrac{3}{4}$ ◯ $2\dfrac{2}{4}$

Tip
대분수의 분모가 같을 때 먼저 자연수의 크기를 비교하고, 자연수의 크기가 같으면 분자의 크기를 비교합니다.

분수의 크기를 비교하여 ◯에 >, =, <를 알맞게 써넣으세요.

$3\dfrac{3}{5}$ ⟩ $\dfrac{17}{5}$

가분수를 대분수로 → $3\dfrac{3}{5}$ ⟩ $3\dfrac{2}{5}$

대분수를 가분수로 → $\dfrac{18}{5}$ ⟩ $\dfrac{17}{5}$

① $3\dfrac{1}{6}$ ◯ $\dfrac{15}{6}$

② $\dfrac{21}{9}$ ◯ $2\dfrac{2}{9}$

③ $1\dfrac{7}{13}$ ◯ $\dfrac{21}{13}$

④ $\dfrac{10}{3}$ ◯ $3\dfrac{1}{3}$

⑤ $4\dfrac{1}{7}$ ◯ $\dfrac{26}{7}$

⑥ $\dfrac{45}{10}$ ◯ $4\dfrac{7}{10}$

⑦ $9\dfrac{1}{2}$ ◯ $\dfrac{17}{2}$

⑧ $\dfrac{30}{11}$ ◯ $2\dfrac{7}{11}$

⑨ $2\dfrac{5}{8}$ ◯ $\dfrac{20}{8}$

⑩ $\dfrac{70}{15}$ ◯ $4\dfrac{13}{15}$

⑪ $5\dfrac{2}{4}$ ◯ $\dfrac{22}{4}$

⑫ $\dfrac{27}{12}$ ◯ $2\dfrac{6}{12}$

T ip
가분수 또는 대분수로 나타내어 크기를 비교합니다.

분수의 크기를 비교하여 ◯에 >, =, < 를 알맞게 써넣으세요.

① $\dfrac{13}{8}$ ◯ $\dfrac{15}{8}$　　② $1\dfrac{2}{4}$ ◯ $2\dfrac{1}{4}$　　③ $3\dfrac{8}{9}$ ◯ $3\dfrac{7}{9}$

④ $5\dfrac{12}{13}$ ◯ $7\dfrac{3}{13}$　　⑤ $1\dfrac{3}{5}$ ◯ $1\dfrac{2}{5}$　　⑥ $\dfrac{29}{15}$ ◯ $\dfrac{31}{15}$

⑦ $\dfrac{44}{10}$ ◯ $4\dfrac{4}{10}$　　⑧ $2\dfrac{4}{7}$ ◯ $\dfrac{19}{7}$　　⑨ $\dfrac{22}{3}$ ◯ $7\dfrac{2}{3}$

⑩ $3\dfrac{4}{6}$ ◯ $\dfrac{22}{6}$　　⑪ $\dfrac{71}{11}$ ◯ $6\dfrac{4}{11}$　　⑫ $6\dfrac{3}{9}$ ◯ $\dfrac{58}{9}$

⑬ $\dfrac{31}{4}$ ◯ $7\dfrac{2}{4}$　　⑭ $7\dfrac{5}{12}$ ◯ $\dfrac{87}{12}$　　⑮ $\dfrac{53}{17}$ ◯ $3\dfrac{6}{17}$

6주차

도전! 계산왕

분수만큼과 어떤 수

□에 알맞은 수를 써넣으세요.

① 1 m 60 cm의 $\frac{3}{8}$ 은

  □ cm입니다.

② 1 m 20 cm의 $\frac{1}{3}$ 은

  □ cm입니다.

③ 16 kg의 $\frac{2}{4}$ 는

  □ kg입니다.

④ 105 kg의 $\frac{3}{7}$ 은

  □ kg입니다.

⑤ 1분 10초의 $\frac{3}{5}$ 은

  □ 초입니다.

⑥ 1분 6초의 $\frac{4}{6}$ 는

  □ 초입니다.

⑦ 어떤 수의 $\frac{3}{4}$ 은 21입니다.

  어떤 수의 $\frac{2}{7}$ 는 □ 입니다.

⑧ 어떤 수의 $\frac{8}{9}$ 은 32입니다.

  어떤 수의 $\frac{1}{4}$ 은 □ 입니다.

⑨ 어떤 수의 $\frac{4}{11}$ 는 24입니다.

  어떤 수의 $\frac{3}{6}$ 은 □ 입니다.

⑩ 어떤 수의 $\frac{6}{15}$ 은 12입니다.

  어떤 수의 $\frac{3}{5}$ 은 □ 입니다.

분수만큼과 어떤 수

□에 알맞은 수를 써넣으세요.

① 1 m 15 cm의 $\frac{2}{5}$ 는

□ cm입니다.

② 1 m 8 cm의 $\frac{4}{9}$ 는

□ cm입니다.

③ 30 kg의 $\frac{3}{6}$ 은

□ kg입니다.

④ 45 kg의 $\frac{1}{3}$ 은

□ kg입니다.

⑤ 1분 24초의 $\frac{6}{7}$ 은

□ 초입니다.

⑥ 1분 4초의 $\frac{3}{4}$ 은

□ 초입니다.

⑦ 어떤 수의 $\frac{3}{5}$ 은 24입니다.

어떤 수의 $\frac{5}{8}$ 는 □ 입니다.

⑧ 어떤 수의 $\frac{1}{2}$ 은 8입니다.

어떤 수의 $\frac{2}{4}$ 는 □ 입니다.

⑨ 어떤 수의 $\frac{1}{6}$ 은 30입니다.

어떤 수의 $\frac{2}{5}$ 는 □ 입니다.

⑩ 어떤 수의 $\frac{2}{7}$ 는 12입니다.

어떤 수의 $\frac{5}{6}$ 는 □ 입니다.

분수만큼과 어떤 수

□에 알맞은 수를 써넣으세요.

① 1 m 26 cm의 $\frac{4}{6}$ 는

[　] cm입니다.

② 1 m 5 cm의 $\frac{2}{3}$ 는

[　] cm입니다.

③ 25 kg의 $\frac{3}{5}$ 은

[　] kg입니다.

④ 16 kg의 $\frac{4}{8}$ 는

[　] kg입니다.

⑤ 1분 3초의 $\frac{7}{9}$ 은

[　] 초입니다.

⑥ 1분 5초의 $\frac{3}{5}$ 은

[　] 초입니다.

⑦ 어떤 수의 $\frac{2}{6}$ 는 6입니다.

어떤 수의 $\frac{1}{3}$ 은 [　] 입니다.

⑧ 어떤 수의 $\frac{3}{4}$ 은 21입니다.

어떤 수의 $\frac{4}{7}$ 는 [　] 입니다.

⑨ 어떤 수의 $\frac{5}{12}$ 는 10입니다.

어떤 수의 $\frac{3}{8}$ 은 [　] 입니다.

⑩ 어떤 수의 $\frac{7}{14}$ 은 14입니다.

어떤 수의 $\frac{1}{4}$ 은 [　] 입니다.

2일 ❷

분수만큼과 어떤 수

🐌 □에 알맞은 수를 써넣으세요.

① 1 m 33 cm의 $\frac{4}{7}$ 는

　□ cm입니다.

② 1 m 8 cm의 $\frac{2}{4}$ 는

　□ cm입니다.

③ 16 kg의 $\frac{6}{8}$ 은

　□ kg입니다.

④ 20 kg의 $\frac{2}{5}$ 는

　□ kg입니다.

⑤ 1분 12초의 $\frac{1}{3}$ 은

　□ 초입니다.

⑥ 1분 21초의 $\frac{4}{9}$ 는

　□ 초입니다.

⑦ 어떤 수의 $\frac{2}{6}$ 는 12입니다.

　어떤 수의 $\frac{3}{4}$ 은 □ 입니다.

⑧ 어떤 수의 $\frac{4}{11}$ 는 12입니다.

　어떤 수의 $\frac{2}{3}$ 는 □ 입니다.

⑨ 어떤 수의 $\frac{9}{15}$ 는 18입니다.

　어떤 수의 $\frac{2}{5}$ 는 □ 입니다.

⑩ 어떤 수의 $\frac{6}{7}$ 은 36입니다.

　어떤 수의 $\frac{2}{6}$ 는 □ 입니다.

분수만큼과 어떤 수

□에 알맞은 수를 써넣으세요.

① 1 m 17 cm의 $\frac{6}{9}$ 은

□ cm입니다.

② 1 m 10 cm의 $\frac{3}{5}$ 은

□ cm입니다.

③ 24 kg의 $\frac{1}{3}$ 은

□ kg입니다.

④ 21 kg의 $\frac{4}{7}$ 는

□ kg입니다.

⑤ 1분 12초의 $\frac{5}{6}$ 는

□ 초입니다.

⑥ 1분 8초의 $\frac{2}{4}$ 는

□ 초입니다.

⑦ 어떤 수의 $\frac{3}{10}$ 은 12입니다.

어떤 수의 $\frac{2}{4}$ 는 □ 입니다.

⑧ 어떤 수의 $\frac{4}{7}$ 는 16입니다.

어떤 수의 $\frac{3}{4}$ 은 □ 입니다.

⑨ 어떤 수의 $\frac{5}{9}$ 는 15입니다.

어떤 수의 $\frac{2}{3}$ 는 □ 입니다.

⑩ 어떤 수의 $\frac{9}{12}$ 는 27입니다.

어떤 수의 $\frac{5}{6}$ 는 □ 입니다.

3일 ❷ 분수만큼과 어떤 수

□에 알맞은 수를 써넣으세요.

① 1 m 4 cm의 $\frac{1}{4}$은

[   ] cm입니다.

② 1 m 14 cm의 $\frac{5}{6}$는

[   ] cm입니다.

③ 35 kg의 $\frac{2}{7}$는

[   ] kg입니다.

④ 39 kg의 $\frac{2}{3}$는

[   ] kg입니다.

⑤ 1분 20초의 $\frac{3}{8}$은

[   ] 초입니다.

⑥ 1분 15초의 $\frac{2}{5}$는

[   ] 초입니다.

⑦ 어떤 수의 $\frac{3}{7}$은 9입니다.

어떤 수의 $\frac{2}{3}$는 [   ] 입니다.

⑧ 어떤 수의 $\frac{2}{14}$는 4입니다.

어떤 수의 $\frac{3}{4}$은 [   ] 입니다.

⑨ 어떤 수의 $\frac{9}{12}$는 9입니다.

어떤 수의 $\frac{4}{6}$는 [   ] 입니다.

⑩ 어떤 수의 $\frac{5}{8}$는 20입니다.

어떤 수의 $\frac{3}{4}$은 [   ] 입니다.

분수만큼과 어떤 수

□에 알맞은 수를 써넣으세요.

① 1 m 25 cm의 $\frac{3}{5}$ 은

□ cm입니다.

② 1 m 33 cm의 $\frac{5}{7}$ 는

□ cm입니다.

③ 50 kg의 $\frac{1}{2}$ 은

□ kg입니다.

④ 63 kg의 $\frac{3}{9}$ 은

□ kg입니다.

⑤ 50초의 $\frac{4}{5}$ 는

□ 초입니다.

⑥ 1분 12초의 $\frac{7}{8}$ 은

□ 초입니다.

⑦ 어떤 수의 $\frac{5}{13}$ 는 10입니다.

어떤 수의 $\frac{1}{2}$ 은 □ 입니다.

⑧ 어떤 수의 $\frac{1}{3}$ 은 16입니다.

어떤 수의 $\frac{3}{8}$ 은 □ 입니다.

⑨ 어떤 수의 $\frac{2}{7}$ 는 8입니다.

어떤 수의 $\frac{3}{4}$ 은 □ 입니다.

⑩ 어떤 수의 $\frac{7}{16}$ 은 21입니다.

어떤 수의 $\frac{5}{8}$ 는 □ 입니다.

4일 ❷

분수만큼과 어떤 수

🔍 □에 알맞은 수를 써넣으세요.

① 1 m 53 cm의 $\frac{2}{9}$ 는

□ cm입니다.

② 1 m 40 cm의 $\frac{2}{4}$ 는

□ cm입니다.

③ 54 kg의 $\frac{5}{6}$ 는

□ kg입니다.

④ 48 kg의 $\frac{7}{8}$ 은

□ kg입니다.

⑤ 1분 30초의 $\frac{2}{3}$ 는

□ 초입니다.

⑥ 1분 24초의 $\frac{3}{7}$ 은

□ 초입니다.

⑦ 어떤 수의 $\frac{4}{5}$ 는 24입니다.

어떤 수의 $\frac{2}{6}$ 는 □ 입니다.

⑧ 어떤 수의 $\frac{7}{11}$ 은 63입니다.

어떤 수의 $\frac{4}{9}$ 는 □ 입니다.

⑨ 어떤 수의 $\frac{8}{10}$ 은 40입니다.

어떤 수의 $\frac{2}{5}$ 는 □ 입니다.

⑩ 어떤 수의 $\frac{3}{6}$ 은 27입니다.

어떤 수의 $\frac{7}{9}$ 은 □ 입니다.

분수만큼과 어떤 수

🔑 □에 알맞은 수를 써넣으세요.

① 1 m 44 cm의 $\frac{5}{8}$ 는

□ cm입니다.

② 1 m의 $\frac{2}{5}$ 는

□ cm입니다.

③ 51 kg의 $\frac{1}{3}$ 은

□ kg입니다.

④ 77 kg의 $\frac{6}{7}$ 은

□ kg입니다.

⑤ 1분 36초의 $\frac{2}{4}$ 는

□ 초입니다.

⑥ 1분 24초의 $\frac{4}{6}$ 는

□ 초입니다.

⑦ 어떤 수의 $\frac{3}{7}$ 은 18입니다.

어떤 수의 $\frac{5}{6}$ 는 □ 입니다.

⑧ 어떤 수의 $\frac{2}{8}$ 는 4입니다.

어떤 수의 $\frac{2}{4}$ 는 □ 입니다.

⑨ 어떤 수의 $\frac{4}{9}$ 는 16입니다.

어떤 수의 $\frac{1}{6}$ 은 □ 입니다.

⑩ 어떤 수의 $\frac{9}{15}$ 는 18입니다.

어떤 수의 $\frac{2}{3}$ 는 □ 입니다.

분수만큼과 어떤 수

5일 ❷

 □에 알맞은 수를 써넣으세요.

① 1 m 60 cm의 $\frac{1}{4}$ 은

[ ] cm입니다.

② 1 m 68 cm의 $\frac{3}{8}$ 은

[ ] cm입니다.

③ 45 kg의 $\frac{5}{9}$ 는

[ ] kg입니다.

④ 40 kg의 $\frac{2}{5}$ 는

[ ] kg입니다.

⑤ 1분 31초의 $\frac{4}{7}$ 는

[ ] 초입니다.

⑥ 1분 33초의 $\frac{1}{3}$ 은

[ ] 초입니다.

⑦ 어떤 수의 $\frac{3}{4}$ 은 30입니다.

어떤 수의 $\frac{2}{8}$ 는 [ ] 입니다.

⑧ 어떤 수의 $\frac{9}{18}$ 는 36입니다.

어떤 수의 $\frac{2}{4}$ 는 [ ] 입니다.

⑨ 어떤 수의 $\frac{5}{12}$ 는 25입니다.

어떤 수의 $\frac{4}{6}$ 는 [ ] 입니다.

⑩ 어떤 수의 $\frac{3}{7}$ 은 15입니다.

어떤 수의 $\frac{3}{5}$ 은 [ ] 입니다.

초등 원리셈 3학년

6권 분수

총괄 테스트

01 먹은 부분을 ⬜, 남은 부분을 ⬜ 에 분수로 나타내세요.

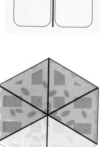

02 분수의 크기를 비교하여 작은 것부터 차례로 쓰세요.

$$\frac{2}{4} \qquad \frac{2}{7} \qquad \frac{3}{4}$$

⬜ < ⬜ < ⬜

03 분모만큼 ◯를 그리고 분자만큼 색칠한 후 전체를 구하세요.

06 빈칸에 알맞은 수를 써넣으세요.

12를 4씩 묶으면 4는 12의 ⬜ 입니다.

8은 12의 ⬜ 입니다.

07 빈칸에 알맞은 수를 써넣으세요.

32는 8씩 ⬜ 묶음이고 16은 8씩 ⬜ 묶음이므로,

16은 32의 ⬜ 입니다.

08 빈칸에 알맞은 수를 써넣으세요.

① 27을 9씩 묶으면 9는 27의 ⬜ 입니다.

② 48을 6씩 묶으면 6은 48의 ⬜⬜ 입니다.

09 빈칸에 알맞은 수를 써넣으세요.

① 35를 5씩 묶으면 20은 35의 ⬜⬜ 입니다.

② 56을 7씩 묶으면 14는 56의 ⬜⬜ 입니다.

10 빈칸에 알맞은 수를 써넣으세요.

24를 4씩 묶으면 12는 24의 ⬜⬜ 입니다.

24를 6씩 묶으면 12는 24의 ⬜⬜ 입니다.

$\frac{3}{6}$ 이 240이면 전체는 ⬜ 입니다.

04 전체를 구하세요.

① $\frac{5}{8}$ 가 250이면 전체는 ⬜ 입니다.

② $\frac{3}{6}$ 이 180이면 전체는 ⬜ 입니다.

③ $\frac{7}{12}$ 이 210이면 전체는 ⬜ 입니다.

05 전체의 길이를 구하세요.

① 철사 $\frac{4}{5}$ 의 길이가 32 cm이면 전체의 길이는 ⬜ cm입니다.

② 리본 $\frac{3}{7}$ 의 길이가 30 cm이면 전체의 길이는 ⬜ cm입니다.

1000math.com

홈페이지
· 천종현수학연구소 소개 및 학습 자료 공유
· 출판 교재, 연구소 굿즈 구입

 cafe.naver.com/maths1000

네이버카페
· 다양한 이벤트 및 '천쌤수학학습단' 진행
· 학습 상담 게시판 운영

 https://www.instagram.com/1000maths

인스타그램
· 수학고민상담소 '천쌤에게 물어보셈' 릴스 보기
· 가장 빠르게 만나는 연구소 소식 및 이벤트

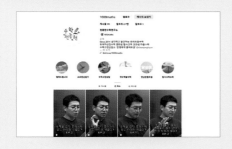

 https://www.youtube.com/@1000math4U

유튜브
· 인스타 라이브방송 '천쌤에게 물어보셈' 다시 보기
· 고민 상담 사례 및 수학교육 기획 콘텐츠

천종현수학연구소는
유아 초등 수학 교재와 콘텐츠를 꾸준히 **개발**하고 있습니다. 네이버에 '**천종현수학연구소**'를 검색하시거나 **인스타그램, 유튜브** 등 다양한 채널을 통해서도 **연산**과 **사고력 수학**, 교과 심화 학습에 대한 **노하우**와 **정보**를 다양하게 제공합니다. 지금 바로 만나보세요.

SINCE 2014

천종현수학연구소 출판 교재

01

유아 자신감 수학

썼다 지웠다 붙였다 뗐다
우리 아이의 첫 수학 교재

02

TOP 사고력 수학

실력도 탑! 재미도 탑!
사고력 수학의 으뜸

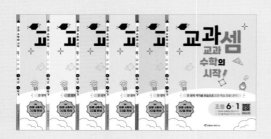

03

교과셈

사칙연산+도형, 측정, 경우의 수까지
반복 학습이 필요한 초등 연산 완성

04

따풀 수학

다양한 개념과 해결 방법을 배우는
배움이 있는 학습지

05

초등 사고력 수학의 원리/전략

진정한 수학 실력은 원리의 이해와 문제 해결 전략에서
재미있게 읽는 17년 초등 사고력 수학의 노하우!!

초등 | 수학 전문가가 만든 연산 교재

원리셈

천종현 지음

정답

3학년 6

분수

천종현수학연구소

1주차 - 분수 알기

10쪽

① 3, 1, $\frac{1}{3}$

② 6, 4, $\frac{4}{6}$

③ 4, 1, $\frac{1}{4}$

④ 5, 2, $\frac{2}{5}$

11쪽

① $\frac{4}{8}$ ② $\frac{1}{4}$

③ $\frac{4}{9}$ ④ $\frac{3}{5}$

⑤ $\frac{4}{16}$ ⑥ $\frac{3}{8}$

⑦ $\frac{5}{12}$ ⑧ $\frac{2}{4}$

⑨ $\frac{5}{10}$ ⑩ $\frac{8}{16}$

12쪽

① $\frac{3}{8}$ $\boxed{\frac{5}{8}}$ ② $\frac{1}{4}$ $\boxed{\frac{3}{4}}$

③ $\boxed{\frac{4}{6}}$ $\frac{2}{6}$ ④ $\boxed{\frac{4}{8}}$ $\frac{4}{8}$

⑤ $\frac{2}{5}$ $\boxed{\frac{3}{5}}$ ⑥ $\frac{2}{6}$ $\boxed{\frac{4}{6}}$

⑦ $\frac{2}{4}$ $\boxed{\frac{2}{4}}$ ⑧ $\frac{1}{3}$ $\boxed{\frac{2}{3}}$

13쪽

① $\frac{1}{4} < \frac{2}{4} < \frac{3}{4}$ ② $\frac{1}{7} < \frac{3}{7} < \frac{5}{7}$

③ $\frac{2}{9} < \frac{5}{9} < \frac{8}{9}$ ④ $\frac{3}{10} < \frac{7}{10} < \frac{8}{10}$

14쪽

① $\frac{1}{11} < \frac{1}{9} < \frac{1}{6}$ ② $\frac{3}{8} < \frac{3}{5} < \frac{3}{4}$

③ $\frac{2}{7} < \frac{2}{6} < \frac{2}{3}$ ④ $\frac{4}{10} < \frac{4}{9} < \frac{4}{7}$

15쪽

① $\frac{1}{5} < \frac{3}{5} < \frac{3}{4}$ ② $\frac{3}{6} < \frac{3}{5} < \frac{4}{5}$

③ $\frac{1}{5} < \frac{2}{5} < \frac{2}{3}$ ④ $\frac{1}{7} < \frac{2}{7} < \frac{2}{4}$

⑤ $\frac{3}{8} < \frac{4}{8} < \frac{4}{5}$ ⑥ $\frac{2}{9} < \frac{3}{9} < \frac{3}{4}$

16쪽

① 21 /

② 25 /

③ 24 /

④ 28 /

⑤ 30 /

⑥ 24 /

⑦ 77 /

⑧ 112 /

17쪽

① 12 /

② 20 /

③ 50 /

④ 72 /

⑤ 56 /

⑥ 42 /

18쪽

① 36 /

② 16 /

③ 75 /

④ 28 /

⑤ 40 /

⑥ 48 /

⑦ 45 /

⑧ 64 /

⑨ 45 /

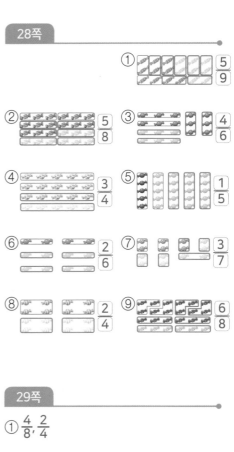

① / $\frac{2}{4}, \frac{3}{4}$

② / $\frac{2}{4}, \frac{3}{4}$

③ / $\frac{1}{3}, \frac{2}{3}$

④ / $\frac{2}{5}, \frac{4}{5}$

⑤ / $\frac{2}{4}, \frac{3}{4}$

⑥ / $\frac{2}{4}, \frac{3}{4}$

① $\frac{3}{4}, \frac{2}{3}, \frac{1}{2}$

② $\frac{1}{2}, \frac{3}{4}, \frac{3}{5}$

① 4, 3, $\frac{3}{4}$

② 8, 6, $\frac{6}{8}$

③ 6, 2, $\frac{2}{6}$

④ 11, 6, $\frac{6}{11}$

⑤ 7, 4, $\frac{4}{7}$

① 10, 6, $\frac{6}{10}$

② 4, 3, $\frac{3}{4}$

③ 8, 5, $\frac{5}{8}$

④ 3, 2, $\frac{2}{3}$

⑤ 9, 5, $\frac{5}{9}$

⑥ 7, 6, $\frac{6}{7}$

① 13, 10, $\frac{10}{13}$

② 6, 5, $\frac{5}{6}$

③ 12, 7, $\frac{7}{12}$

④ 5, 4, $\frac{4}{5}$

⑤ 8, 2, $\frac{2}{8}$

⑥ 9, 4, $\frac{4}{9}$

① $\frac{1}{9}$

② $\frac{1}{6}$　　③ $\frac{1}{10}$

④ $\frac{1}{3}$　　⑤ $\frac{1}{8}$

⑥ $\frac{1}{5}$　　⑦ $\frac{1}{11}$

⑧ $\frac{1}{7}$　　⑨ $\frac{1}{12}$

① $\frac{3}{8}$

② $\frac{2}{3}$　　③ $\frac{11}{22}$

④ $\frac{7}{13}$　　⑤ $\frac{2}{5}$

⑥ $\frac{7}{17}$　　⑦ $\frac{7}{11}$

⑧ $\frac{5}{10}$　　⑨ $\frac{4}{5}$

① $\frac{4}{7}, \frac{5}{7}$　　② $\frac{3}{12}, \frac{6}{12}, \frac{9}{12}$

③ $\frac{3}{8}, \frac{4}{8}, \frac{7}{8}$　　④ $\frac{3}{9}, \frac{5}{9}, \frac{8}{9}$

① $\frac{4}{6}, \frac{2}{3}$ / $\frac{4}{6} = \frac{2}{3}$

② $\frac{2}{8}, \frac{1}{4}$ / $\frac{2}{8} = \frac{1}{4}$　　③ $\frac{12}{18}, \frac{4}{6}$ / $\frac{12}{18} = \frac{4}{6}$

① $\frac{10}{20}, \frac{8}{16}$ / $\frac{5}{10}, \frac{10}{20} = \frac{8}{16} = \frac{5}{10}$

② $\frac{12}{24}, \frac{6}{12}$ / $\frac{4}{8}, \frac{12}{24} = \frac{6}{12} = \frac{4}{8}$

③ $\frac{15}{45}, \frac{10}{30}$ / $\frac{6}{18}, \frac{15}{45} = \frac{10}{30} = \frac{6}{18}$

① 2　　② 2, 4, 5 / 2

③ 1　　④ 3, 6 / 3

⑤ 2, 5, 8 / 2, 3, 4

42쪽

① 30　　② 21
③ 40　　④ 60
⑤ 55　　⑥ 35
⑦ $\frac{1}{4}$　　⑧ $\frac{1}{16}$
⑨ $\frac{2}{5}$　　⑩ $\frac{3}{4}$
⑪ $\frac{3}{6}$　　⑫ $\frac{5}{6}$

43쪽

① 12　　② 24
③ 77　　④ 33
⑤ 48　　⑥ 72
⑦ $\frac{3}{4}$　　⑧ $\frac{3}{5}$
⑨ $\frac{5}{9}$　　⑩ $\frac{10}{17}$
⑪ $\frac{5}{8}$　　⑫ $\frac{6}{13}$

44쪽

① 49　　② 32
③ 28　　④ 60
⑤ 15　　⑥ 20
⑦ $\frac{2}{4}$　　⑧ $\frac{6}{11}$
⑨ $\frac{2}{5}$　　⑩ $\frac{3}{8}$
⑪ $\frac{2}{6}$　　⑫ $\frac{8}{10}$

45쪽

① 18　　② 81
③ 60　　④ 26
⑤ 28　　⑥ 55
⑦ $\frac{1}{2}$　　⑧ $\frac{1}{2}$
⑨ $\frac{5}{7}$　　⑩ $\frac{4}{7}$
⑪ $\frac{2}{3}$　　⑫ $\frac{5}{11}$

46쪽

① 40　　② 72
③ 72　　④ 24
⑤ 25　　⑥ 21
⑦ $\frac{1}{4}$　　⑧ $\frac{2}{5}$
⑨ $\frac{5}{12}$　　⑩ $\frac{1}{7}$
⑪ $\frac{7}{9}$　　⑫ $\frac{9}{10}$

47쪽

① 60　　② 42
③ 56　　④ 48
⑤ 8　　⑥ 56
⑦ $\frac{1}{2}$　　⑧ $\frac{1}{3}$
⑨ $\frac{10}{12}$　　⑩ $\frac{7}{9}$
⑪ $\frac{5}{6}$　　⑫ $\frac{4}{5}$

48쪽

① 88　　② 91
③ 55　　④ 30
⑤ 22　　⑥ 44
⑦ $\frac{1}{4}$　　⑧ $\frac{2}{4}$
⑨ $\frac{6}{8}$　　⑩ $\frac{3}{7}$
⑪ $\frac{9}{13}$　　⑫ $\frac{6}{7}$

49쪽

① 81　　② 34
③ 85　　④ 16
⑤ 56　　⑥ 50
⑦ $\frac{1}{6}$　　⑧ $\frac{3}{11}$
⑨ $\frac{4}{7}$　　⑩ $\frac{5}{6}$
⑪ $\frac{1}{7}$　　⑫ $\frac{2}{9}$

50쪽

① 60　　② 55
③ 63　　④ 39
⑤ 20　　⑥ 64
⑦ $\frac{2}{10}$　　⑧ $\frac{3}{9}$
⑨ $\frac{6}{11}$　　⑩ $\frac{11}{13}$
⑪ $\frac{7}{9}$　　⑫ $\frac{8}{9}$

51쪽

① 66　　　　　② 48

③ 45　　　　　④ 72

⑤ 44　　　　　⑥ 40

⑦ $\frac{2}{4}$　　　　⑧ $\frac{6}{7}$

⑨ $\frac{3}{5}$　　　　⑩ $\frac{1}{5}$

⑪ $\frac{8}{14}$　　　⑫ $\frac{4}{9}$

4주차 - 분수만큼

54쪽

① / 3

② / 2

③ / 2

④ / 3

55쪽

　　　　① 5　　　② 5

③ 5　　④ 2　　⑤ 7

⑥ 4　　⑦ 8　　⑧ 9

⑨ 6　　⑩ 11　⑪ 8

56쪽

① 2　　② 4　　③ 4

④ 5　　⑤ 12　⑥ 10

⑦ 5　　⑧ 6　　⑨ 6

⑩ 3　　⑪ 6　　⑫ 6

57쪽

① 6　　② 2　　③ 8

④ 4　　⑤ 3　　⑥ 6

⑦ 7　　⑧ 4　　⑨ 9

58쪽

① 2, 5　　　　② 10, 2

　2, 5, 10　　　10, 2, 20

③ 3, 7　　　　④ 7, 3

　3, 7, 21　　　7, 3, 21

⑤ 4, 8　　　　⑥ 3, 5

　4, 8, 32　　　3, 5, 15

59쪽

① 6, 6　　② 8　　③ 6

④ 15　　⑤ 8　　⑥ 18

⑦ 36　　⑧ 20　⑨ 6

⑩ 14　　⑪ 21　⑫ 18

60쪽

① 40　　② 120　③ 96

④ 88　　⑤ 68　⑥ 54

⑦ 52　　⑧ 98　⑨ 95

⑩ 102　⑪ 60　⑫ 52

61쪽

① 15　　② 10　③ 9

④ 60　　⑤ 27　⑥ 15

⑦ 14　　⑧ 36　⑨ 45

⑩ 12　　⑪ 21　⑫ 40

62쪽

① 28　　② 20　③ 60

④ 45　　⑤ 48　⑥ 44

⑦ 49　　⑧ 60　⑨ 20

⑩ 66　　⑪ 30　⑫ 38

63쪽

① 27, 27　② 50　③ 49

④ 36　　⑤ 16　⑥ 18

⑦ 24　　⑧ 40　⑨ 18

64쪽

① 60　　② 108　③ 45

④ 33　　⑤ 117　⑥ 48

⑦ 40　　⑧ 98　⑨ 48

⑩ 60　　⑪ 80　⑫ 70

65쪽

① 81　　② 36　③ 22

④ 45　　⑤ 48　⑥ 16

⑦ 60　　⑧ 84　⑨ 64

⑩ 56　　⑪ 39　⑫ 34

66쪽

　　　　　① 42

② 63　　　③ 18

④ 40　　　⑤ 20

⑥ 20　　　⑦ 36

⑧ 28　　　⑨ 18

67쪽

① 40　　　② 24

③ 70　　　④ 16

⑤ 63　　　⑥ 30

⑦ 22　　　⑧ 14

⑨ 65　　　⑩ 56

① 36   ② 50
③ 12   ④ 21
⑤ 18   ⑥ 28
⑦ 80   ⑧ 55
⑨ 42   ⑩ 72

5주차 - 여러 가지 분수

① $\frac{1}{2}$, $\frac{3}{2}$, $\frac{6}{2}$

② $\frac{3}{3}$, $\frac{5}{3}$, $\frac{6}{3}$

③ $\frac{3}{6}$, $\frac{6}{6}$, $\frac{8}{6}$, $\frac{10}{6}$, $\frac{12}{6}$

④ $\frac{2}{5}$, $\frac{4}{5}$, $\frac{9}{5}$, $\frac{11}{5}$, $\frac{13}{5}$

① $3\frac{2}{5}$ ② $2\frac{2}{4}$

③ $6\frac{4}{6}$ ④ $1\frac{3}{8}$

⑤ $3\frac{6}{9}$ ⑥ $2\frac{3}{5}$

① $\frac{7}{10}$ ⟨$2\frac{1}{5}$⟩ $\frac{9}{3}$ $3\frac{7}{7}$ ⟨$5\frac{10}{11}$⟩

② $\frac{4}{2}$ $1\frac{12}{8}$ ⟨$2\frac{2}{3}$⟩ $\frac{5}{6}$ $4\frac{7}{4}$

③ ⟨$2\frac{3}{12}$⟩   ⟨$3\frac{2}{5}$⟩ $\frac{4}{4}$ ⟨$1\frac{7}{13}$⟩ $\frac{7}{5}$

④ ⟨$5\frac{7}{8}$⟩ $\frac{1}{3}$ $\frac{8}{3}$ ⟨$2\frac{4}{9}$⟩ $8\frac{13}{13}$

⑤ $\frac{2}{7}$ $\frac{9}{5}$ ⟨$3\frac{1}{2}$⟩   ⟨$5\frac{3}{8}$⟩ $1\frac{7}{6}$

진분수 $\frac{3}{6}$, $\frac{3}{9}$, $\frac{2}{3}$, $\frac{12}{15}$

가분수 $\frac{9}{7}$, $\frac{11}{10}$

대분수 $2\frac{3}{7}$, $3\frac{4}{5}$, $1\frac{7}{13}$

① $2\frac{2}{5}$, $3\frac{3}{5}$

② $1\frac{3}{7}$, $2\frac{2}{7}$

③ $1\frac{1}{4}$, $2\frac{3}{4}$, $3\frac{2}{4}$

① ★ ➡ $\frac{7}{3}$, $2\frac{1}{3}$ ▲ ➡ $\frac{5}{3}$, $1\frac{2}{3}$

② ★ ➡ $\frac{7}{4}$, $1\frac{3}{4}$ ▲ ➡ $\frac{13}{4}$, $3\frac{1}{4}$

③ ★ ➡ $\frac{10}{8}$, $1\frac{2}{8}$ ▲ ➡ $\frac{21}{8}$, $2\frac{5}{8}$

① ★ ➡ $\frac{12}{5}$, $2\frac{2}{5}$ ▲ ➡ $\frac{17}{5}$, $3\frac{2}{5}$

② ★ ➡ $\frac{8}{7}$, $1\frac{1}{7}$ ▲ ➡ $\frac{27}{7}$, $3\frac{6}{7}$

③ ★ ➡ $\frac{9}{6}$, $1\frac{3}{6}$ ▲ ➡ $\frac{16}{6}$, $2\frac{4}{6}$

① $\frac{14}{9}$ ② $\frac{14}{4}$ ③ $\frac{13}{2}$

④ $\frac{17}{7}$ ⑤ $\frac{17}{3}$ ⑥ $\frac{59}{8}$

⑦ $\frac{24}{5}$ ⑧ $\frac{11}{6}$ ⑨ $\frac{74}{9}$

⑩ $\frac{30}{8}$ ⑪ $\frac{7}{3}$ ⑫ $\frac{47}{7}$

① $2\frac{1}{6}$ ② $1\frac{2}{9}$ ③ $5\frac{3}{5}$

④ $3\frac{1}{7}$ ⑤ $4\frac{1}{4}$ ⑥ $7\frac{1}{2}$

⑦ $6\frac{4}{8}$ ⑧ $6\frac{2}{3}$ ⑨ $2\frac{7}{9}$

⑩ $6\frac{3}{5}$ ⑪ $6\frac{5}{6}$ ⑫ $8\frac{5}{7}$

① $\frac{20}{6}$ ② $\frac{8}{5}$ ③ $\frac{29}{4}$

④ $\frac{22}{10}$ ⑤ $\frac{57}{13}$ ⑥ $\frac{41}{11}$

⑦ $4\frac{1}{3}$ ⑧ $2\frac{6}{8}$ ⑨ $5\frac{4}{5}$

⑩ $2\frac{3}{7}$ ⑪ $7\frac{3}{4}$ ⑫ $8\frac{8}{9}$

⑬ $\frac{19}{8}$ ⑭ $9\frac{1}{6}$ ⑮ $\frac{35}{6}$

①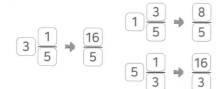

②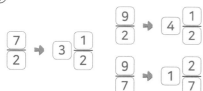

①

$$\frac{7}{2} \Rightarrow 3\frac{1}{2}$$

$$\frac{9}{2} \Rightarrow 4\frac{1}{2} \qquad \frac{9}{7} \Rightarrow 1\frac{2}{7}$$

②

$$\frac{5}{3} \Rightarrow 1\frac{2}{3}$$

$$\frac{8}{3} \Rightarrow 2\frac{2}{3} \qquad \frac{8}{5} \Rightarrow 1\frac{3}{5}$$

①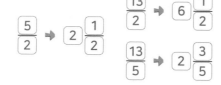

②

$$\frac{7}{3} \Rightarrow 2\frac{1}{3}$$

$$\frac{11}{3} \Rightarrow 3\frac{2}{3} \qquad \frac{11}{7} \Rightarrow 1\frac{4}{7}$$

③

$$\frac{9}{4} \Rightarrow 2\frac{1}{4}$$

$$\frac{10}{4} \Rightarrow 2\frac{2}{4} \qquad \frac{10}{9} \Rightarrow 1\frac{1}{9}$$

① >	② <	③ >
④ <	⑤ <	⑥ <
⑦ >	⑧ >	⑨ <
⑩ >	⑪ <	⑫ <

① >	② >	③ <
④ =	⑤ >	⑥ <
⑦ >	⑧ >	⑨ >
⑩ <	⑪ =	⑫ <

① <	② <	③ >
④ <	⑤ >	⑥ <
⑦ =	⑧ <	⑨ <
⑩ =	⑪ >	⑫ <
⑬ >	⑭ >	⑮ <

6주차 - 도전! 계산왕

① 60	② 40
③ 8	④ 45
⑤ 42	⑥ 44
⑦ 8	⑧ 9
⑨ 33	⑩ 18

① 46	② 48
③ 15	④ 15
⑤ 72	⑥ 48
⑦ 25	⑧ 8
⑨ 72	⑩ 35

① 84	② 70
③ 15	④ 8
⑤ 49	⑥ 39
⑦ 6	⑧ 16
⑨ 9	⑩ 7

① 76	② 54
③ 12	④ 8
⑤ 24	⑥ 36
⑦ 27	⑧ 22
⑨ 12	⑩ 14

① 78	② 66
③ 8	④ 12
⑤ 60	⑥ 34
⑦ 20	⑧ 21
⑨ 18	⑩ 30

총괄 테스트

6권 분수 · 원리셈 3학년

분수

01 익은 부분을 [남은] 부분을, [남은] 부분을 예분수로 나타내세요.

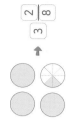

$\frac{2}{4}$ $\frac{2}{7}$ $\frac{3}{4}$

02 분수의 크기를 비교하여 작은 것부터 차례로 쓰세요.

$\frac{2}{4}$ < $\frac{2}{7}$ $\frac{2}{4}$ < $\frac{3}{4}$

$\boxed{\frac{2}{7}}$ $\boxed{\frac{2}{4}}$ $\boxed{\frac{3}{4}}$

03 분모만큼 ○를 그리고 분자만큼 색칠한 후 전체를 구하세요.

$\frac{3}{6}$이 240이면 전체는 $\boxed{48}$ 입니다.

04 전체를 구하세요.
① $\frac{5}{8}$가 250이면 전체는 $\boxed{40}$ 입니다.
② $\frac{3}{5}$이 180이면 전체는 $\boxed{36}$ 입니다.
③ $\frac{7}{12}$이 210이면 전체는 $\boxed{36}$ 입니다.

05 전체의 길이를 구하세요.
① 철사 $\frac{4}{5}$ 의 길이가 32 cm이면
   전체의 길이는 $\boxed{40}$ cm입니다.
② 리본 $\frac{3}{7}$ 의 길이가 30 cm이면
   전체의 길이는 $\boxed{70}$ cm입니다.

06 빈칸에 알맞은 수를 써넣으세요.

12를 4씩 묶으면 4는 12의 $\boxed{\frac{1}{3}}$ 입니다.

8은 12의 $\boxed{\frac{2}{3}}$ 입니다.

07 빈칸에 알맞은 수를 써넣으세요.

32는 8씩 $\boxed{4}$ 묶음이고 16의 8씩 $\boxed{2}$ 묶음이므로,

16은 32의 $\boxed{\frac{2}{4}}$ 입니다.

08 빈칸에 알맞은 수를 써넣으세요.
① 27을 9씩 묶으면 9는 27의 $\boxed{\frac{1}{3}}$ 입니다.
② 48을 6씩 묶으면 6은 48의 $\boxed{\frac{1}{8}}$ 입니다.

09 빈칸에 알맞은 수를 써넣으세요.
① 35를 5씩 묶으면 20은 35의 $\boxed{\frac{4}{7}}$ 입니다.
② 56을 7씩 묶으면 14는 56의 $\boxed{\frac{2}{8}}$ 입니다.

10 빈칸에 알맞은 수를 써넣으세요.

24를 4씩 묶으면 12는 24의 $\boxed{\frac{3}{6}}$ 입니다.

24를 6씩 묶으면 12는 24의 $\boxed{\frac{2}{4}}$ 입니다.

총괄 테스트

11 빈칸에 알맞은 수를 써넣으세요.
① 48의 $\frac{1}{8}$ 은 $\boxed{6}$ 입니다.
② 81의 $\frac{1}{9}$ 은 $\boxed{9}$ 입니다.
③ 28 cm의 $\frac{1}{7}$ 은 $\boxed{4}$ cm입니다.
④ 40초의 $\frac{1}{5}$ 은 $\boxed{8}$ 초입니다.

12 빈칸에 알맞은 수를 써넣으세요.

42의 $\frac{1}{7}$ 는 $\boxed{6}$ 이고, $\frac{4}{7}$는 $\frac{1}{7}$의 $\boxed{4}$ 개이므로

42의 $\frac{4}{7}$ 은 $\boxed{6} \times \boxed{4} = \boxed{24}$ 입니다.

13 빈칸에 알맞은 수를 써넣으세요.
① 24의 $\frac{2}{3}$ 는 $\boxed{16}$ 입니다.
② 64의 $\frac{5}{8}$ 는 $\boxed{40}$ 입니다.
③ 1 m 5 cm의 $\frac{3}{5}$ 은 $\boxed{63}$ cm입니다.
④ 1분 10초의 $\frac{3}{7}$ 은 $\boxed{30}$ 초입니다.

14 빈칸에 알맞은 수를 써넣으세요.
① 어떤 수의 $\frac{3}{10}$ 는 21입니다. 어떤 수 = $\boxed{70}$
② 어떤 수의 $\frac{5}{7}$ 는 40입니다. 어떤 수 = $\boxed{56}$
③ 어떤 수의 $\frac{9}{12}$ 는 27입니다. 어떤 수 = $\boxed{36}$

15 빈칸에 알맞은 수를 써넣으세요.
① 어떤 수의 $\frac{4}{5}$ 는 32입니다.
   어떤 수의 $\frac{3}{10}$ 은 $\boxed{12}$ 입니다.
② 어떤 수의 $\frac{6}{9}$ 는 48입니다.
   어떤 수의 $\frac{3}{8}$ 은 $\boxed{27}$ 입니다.

16 색칠된 분수을 분수로 나타내세요.

$\boxed{\frac{3}{8}}$

17 대분수를 가분수로 나타내세요.
① $5\frac{3}{7}$ → $\boxed{\frac{38}{7}}$
② $4\frac{2}{3}$ → $\boxed{\frac{14}{3}}$
③ $3\frac{5}{9}$ → $\boxed{\frac{32}{9}}$
④ $7\frac{3}{6}$ → $\boxed{\frac{45}{6}}$

18 가분수를 대분수로 나타내세요.
① $\frac{19}{2}$ → $\boxed{9\frac{1}{2}}$
② $\frac{36}{5}$ → $\boxed{7\frac{1}{5}}$
③ $\frac{60}{8}$ → $\boxed{7\frac{4}{8}}$
④ $\frac{39}{4}$ → $\boxed{9\frac{3}{4}}$

19 분수의 크기를 비교하여 ○에 >, =, <를 알맞게 써넣으세요.
① $3\frac{4}{6}$ $\boxed{<}$ $\frac{23}{6}$
② $\frac{33}{4}$ $\boxed{=}$ $8\frac{1}{4}$
③ $4\frac{3}{5}$ $\boxed{>}$ $\frac{21}{5}$
④ $\frac{67}{8}$ $\boxed{>}$ $7\frac{7}{8}$

20 3, 4, 6을 한 번씩 사용하여 만들 수 있는 대분수를 모두 쓰고, 가장 큰 수로 나타내세요.

$3\frac{4}{6}$ $4\frac{3}{6}$ $3\frac{6}{4}$ → $27\frac{6}{6}$

$6\frac{3}{4}$ $22\frac{6}{6}$ $3\frac{6}{4}$ → $27\frac{6}{4}$

초등 | 수학 전문가가 만든 연산 교재

원리셈

원리
이해

다양한
계산 방법

충분한
연습

성취도
확인

○ **마술 같은 논리 수학 매직**

전 영역에 걸쳐 균형 있는 논리력, 문제해결력 기르기

○ **생각하고 발견하는 수학 로지카**

최고 수준 학습을 위한 사고력, 문제해결력 기르기

○ **문제해결력 향상을 위한 실전서**
문제해결사 PULL UP

학년별 실전 고난도 문제해결을 위한 브릿지 학습

천종현수학연구소의 학원 프로그램, **로지카 아카데미**

"수학으로 세상을 다르게 보는 아이로!"
"생각하고 발견하는 수학, **로지카 아카데미**에서 시작하세요."

20년 차 수학교육전문가 천종현 소장과 함께 생각하는 힘을 기를 수 있는 곳, 로지카 아카데미입니다. 생각하고 발견하는 수학을 통해 아이들은 새로운 세상을 만나게 될 것입니다. 오늘부터 아이의 수학 여정을 로지카 아카데미와 함께하세요.

▶ ▷ ▷ ▷ **로지카 아카데미** www.logicaedu.kr

천종현수학연구소의 교재 흐름도

	4세	5세	6세	7세	초 1
출판 교재					
유자수 · 탑사고력	만 3세	만 4세	만 5세	K단계	P단계
원리셈		5, 6세	6, 7세	7, 8세	초등 1
교과셈					초등 1
따풀				7세	초등 1
학원 교재					
매직 · 로지카			K단계	P단계	A단계
풀업				P단계	A단계